土俗と変革

多様性のラディカリズムとナショナリズム

笠井　尚

論創社

まえがき

還暦を過ぎた頃から「季刊日本主義」を中心にして寄稿した文章を中心にして、一冊の評論集にまとめることができた。今、世界は混乱の渦中にある。それぞれの国家単位を中心にしたまとまりが崩壊しかかっており、多様性のスローガンのもとに、それが正当化されつつあるが、その一方では、ロシアのウクライナ侵略のように、国家のエゴがまかり通っている。私たちは、ここで立ち止まって、新たな平和のための枠組みを構想すべきではないだろうか。

私が冒頭に永井陽之助を取り上げたのは、俗にいわれる現実主義とは違って、ダイナミズムにもとづく現実的アプローチを高く評価したからだ。大川周明や保田與重郎、北一輝を取り上げたのは、日本にとってアジアがどんな意味を持つかを再検討したいからである。欧米を絶対視する人たちは脱アジアを主張するが、今の中国の姿とは違った、もう一つのアジアがあるはずで、それを回復することで、新たな東アジア共同体を構想するというのが、私の持論でもある。

竹内好や鶴見俊輔は、片や中国文学の研究家であり、片やプラグマティズムの哲学者であったが、欧米に跪拝することなく、自らの思想を打ち固めた先人である。イデオロギーはどうあろうとも高く評価されるべきで、その二人をどう乗り越えるかが、私たちの課題ではないだろうか。尾高朝雄は、日本の国柄を分かりやすく解説した法哲学者であった。いかにアメリカの占領軍に押し付けられたとはいえ、その根本を否定することはできなかった。

その一方で、レーニンの『国家と革命』を論じながら、アントニオ・ネグリに言及したのは、多様（階級）性を唱えることが暴力を肯定する結果になるということを、レーニン主義の観点から論じたかったからである。

埴谷雄高、小室直樹、室井光広は、福島県や会津ゆかりの思想家や作家であり、今の時代に理解されないことで、孤高な立場に甘んじた。この世を去ってから、初めてその偉大さが理解されるのであり、私なりの解説を試みた次第である。

このほか、「戦友別盃の歌」の大木惇夫は、先の戦争になぜ日本人は熱狂したのか、巻き込まれていったのかを考える上で、無視することができない存在だからである。

後藤新平、渋沢栄一、朝河貫一は、日本を背負って立とうとした、明治の日本人の気概がある。不甲斐ない現在の日本人とは比べものにならないほど、使命感に燃えていた。

会津藩の教学がなければ、松平容保《かたもり》公は京都守護職に就くことはなかった。その神道や朱子学がどのようなものであったかを、私なりに理解した草稿が「保科正之公の朱子学と山鹿素行の古学」である。

民俗・地理学者の山口弥一郎は、辺境の地とされた東北地方でのフィールドワークを通して、忘れられた日本人の顔を浮かび上がらせた。野口英世の母は、会津という閉鎖的世界で、生き且つ死んだ者たちの悲しみを一心に背負ったのだった。

柳津《やないづ》の虚空蔵尊円蔵寺は臨済宗に属するが、地理的にも重要な位置にあるばかりか、アジールとして、世俗的な権力の干渉を拒否することができた。そういった観点から深読みしてみた。修養団の蓮沼門三は、会津の民衆のなかに息づいていた藤樹学を解明することでもあった。

「変革への視座」では難解な理論の解明に終始しているが、「土俗からの出立」は、会津藩関係以外はジャーナリスト的な平易な表現を心掛けた。東北の会津にあって、このような本を出すことは不遜かも知れないが、管見であろうとも、私なりの見解をこの評論集で述べることができたのは、この上ない喜びである。

令和四年七月吉日

土俗と変革——多様性のラディカリズムとナショナリズム　**目次**

《土俗からの出立》

《変革への視座》

第一章　永井陽之助の予言――ラディカルなリアリズム

戦後の日本人は日本国憲法という「アイデアリズムの母」と、日米安保という「リアリズム」の庇護の下で、曲がりなりにも安寧と繁栄を享受することができた。しかし、二十世紀後半から始まった共産主義体制の崩壊とイデオロギー対立の霧散、資本主義の変質、そして二十一世紀に入っての、複雑な民族・宗教抗争とパクス・アメリカーナの終焉といった激変の中で、もはやお花畑的なアイデアリズムとアメリカ任せの安全保障では日本は立ちいかなくなった。そこで見直されるべきは永井陽之助の思想ではないかと思う。

とくに、彼が昭和六十年に東京工業大学で行った「二十世紀と共に生きて」(『二十世紀の遺産』永井陽之助編)と題する最終講義は、多くの示唆を与えてくれる。

「文明や道義の敗北論」へ違和感

永井の戦後体制についての見方は屈折していた。東京大学法学部に入った彼は、当時の思想界をリードしていたキラ星のごとき教授陣に対して、違和感を抱き、過去の「反動的な考え方」を捨てきれなかったという。日本が敗れたことで、外部の力で自分たちの時代が到来したに過ぎないにもかかわらず、勝手に勘違いをしている「進歩的文化人」の陣営に与したくなかったのである。

永井は憲法の宮沢俊義、国際法の横田喜三郎、民法の我妻栄、川島武宜、政治学の堀豊彦、政治学史の南原繁、日本政治史および西洋政治史の岡義武、東洋政治思想史の丸山眞男、行政学の辻清明、社会思想史の大河内一男、米国憲法史の高木八尺の名前を挙げているが、いずれも名だたる「進歩的文化人」であった。

今となれば過去の亡霊と化した感がある彼らは、その当時は臆面もなく「日本の悪」を暴き立てていた。南原繁にいたっては「今次大戦は、民主主義対ファシズムの戦いであって、わが国は文明と理性にやぶれたのだ」と講義で語り、それが当然視されていた。

だが、永井は違っていた。戦争の勝ち負けは、力が強いか弱いかではないか。そうした素朴な疑問を抱いていたのだ。「われわれは、科学、技術、生産力、戦略戦術、イデオロギー、情報や宣伝、すべての点で、力が劣っていたから敗けたのであって、わざわざ、文明や道義の敗北などという必要はないのではないか」と反発をしたのである。

いかに敗者であろうとも、自分たちの存在の全てが否定されていいわけがない。あまりにも急激な価値の転換が起きたことで、日本人自身が動揺してしまい、それが現在にまで尾を引いているのである。

東京裁判史観に疑義

時流に迎合しない永井の思想を支えたのは、マックス・ウェーバーである。ウェーバーは『職業としての政治』（脇圭平訳）のなかで「戦争の勝利者が自分の方が正しかったから勝ったのだと、『品位を欠く独善さ』でぬけぬけというのは、あたかも恋にやぶれた女性にむかって、その女性の教養や容姿が劣っていたからとか、いろいろ余計な正当化で、さらに屈辱を上塗りするような卑劣な行為」と断じて、それこそ騎士道精神にもとるものとして、「国民は利益の侵害は許しても、名誉の侵害、なかでも説教じみた独善による名誉の侵害だけは断じて許さない」と述べているのに、若い永井は感銘を受けたのだった。

当時の風潮は、共産党までもが占領軍を解放の旗手と歓迎したくらいで、彼らの「説教じみた独善」を批判するインテリは少なかった。自由の守護者であるアメリカに逆らうことに二の足を踏む人たちが多かったのである。

その一方で、永井はアメリカの占領政策がもたらした、経済的、思想的な自由・平等といった価値観を評価した。アメリカ人弁護士が日本の被告を弁護する姿にも心打たれた。

「東京裁判史観」に疑義を抱いたのは、勝手に「共同謀議」をでっち上げたことに違和感があったからだ。一握りの軍国指導者の影響力に疑問を呈したのである。それと同時に永井は「戦後の日本人が、占領軍の水ももらさぬ周到な言論統制と検閲で骨抜きにされ、閉ざされた言論空間のなかに自閉させられているとみるのも、かつての東京裁判史観のウラがえしではあるまいか、といま再び感じないわけにはいかない」との見方をしたのである。

永井の頭にあったのは、人間は勝手に操作され、管理されないという、ある種の確信である。わざわざ、リンカーンの「多数の人を一時瞞すことはできるし、少数の人を多年にわたって瞞すこともできる。しかし、多数の人を永遠に瞞すことはできないのである」との言葉を引用している。

普通の日本人であれば、永井のような複眼的な思考はできない。永井によれば世界秩序は「立法過程」ということになる。不法と思われる東京裁判にしても、世界秩序に向かうプロセスとしては、一定の意味が与えられるのである。

「勝てば官軍」の思想が現実を支配していることは事実だとしても、「世界秩序も徐々に成熟する」との希望を持ち続け、個人の良心を支配する価値がグローバルな規範意識に高まることを、長期的には希求しているのである。国家を前提としたインターナショナルと、国家を超えるトランスナショナルのせめぎ合いに注目するのである。

ウェーバー流実践的思惟の哲学

永井がもっとも嫌ったのは「お花畑」である。マックス・ウェーバー、マキャベリ、ホッブス、レイモン・アロンにいたる「政治思想の正統にたつ実践的思惟の哲学」を踏まえているからだ。「（彼らは）国際社会をいわば『戦争状態』を常態とする自然状態とみなす点で共通している。国際秩序は、国内秩序と本質的に異なって、中央政府の欠如した一種の無政府状態であり、民族国家こそ、その生存と優越を求める闘争において唯一の究極的価値の担い手である。国際社会は、融和しがたい、神々の闘争の場であって、暴力（強制力）こそ最後の言葉になる」（「二十世紀と共に生きて」）と述べるとともに、「要するに、ウェーバーにとって、外交や国際政治とは『邪悪なる手段（強制力）』によって善をなすアートである」と定義したのである。

だからこそ、ウェーバーにとっては、「そこでの可能な選択は、善いか悪いかでもなく、美しいか、醜いかでもなく、『結果』によって判定される、賢明か愚劣かの違いがあるのみである」ということになる。

しかも、日本を取り巻く世界の環境は、トランスナショナルが「大いなる幻影」であることをまざまざと見せ付けた。

ここで思い起こされるのは、ウェーバーの弟子であったカール・シュミットの論理である。シユミットは日本では左右を問わず読まれている思想家である。シュミットが『政治的なものの概念』（田中浩、原田武雄訳）において、「お花畑」が国民に大きな禍をもたらすことを指摘したのだった。

シュミットは「無防備な国民には友しか存在しない、と考えるのは、馬鹿げたことであろうし、無抵抗ということによって敵が心を動かされるかもしれないと考えるのは、ずさんきわまる胸算用であろう」と言い切った。それればかりか、無防備に徹しようとする国は滅亡するとも予言した。「一国民が、政治的なものの領域にとどまる力ないしは意志を失うことによって、政治的なものが、この世から消え失せるわけではない。ただ、いくじない一国民が消え失せるだけにすぎないのである」

軍事力を軽視する議論が未だに日本で横行しているのは、アメリカが守ってくれると思いこんでいるからである。「実践的思惟の哲学」が理解されないことの弊害ではないだろうか。

複眼的思考の永井は、リアリストに徹しつつも理想にこだわり続けた。そこが永井のすごいところで、バランスオブパワーに固執する現実主義者との相違である。トランスナショナルにこだわったのである。「モラルと価値の相対主義の泥沼から、いかにして脱却するかの悪戦苦闘の軌跡であったように思われる」と自らの立場を表明しているのが、そのことを裏付けている。

「知のグノーシス主義」を批判

なぜ二十世紀が戦争と革命の時代であったのかを解くためのキーワードとして、永井は「知のグノーシス主義」を問題とし、パズルを解くようにして、世界を解釈する者たちを批判した。永井はよく高坂正堯らと並び称されるが、高坂以上によりラディカルな問いかけをする思想家であった。福島県の安積中学から仙台の旧制二高、東大法学部を出て学者の道を選んだ。分析哲学を専攻していた実兄の影響もあって、カール・ポッパーのいう「反証可能性」という科学認識における手続法重視のリーガリズム（法律尊重主義）で理論武装していたがために、単純なイデオロギーに引きずられることはなかった。

イデオロギーの過剰がもたらした悲劇を、リアリストの永井は直視した。二十世紀は大量殺りくの時代でもあったのだ。

「ヨーロッパ内戦といわれる第一次大戦で約千三百万、第二次大戦で約五千万、さらに、スターリン、ヒトラー、毛沢東からクメール・ルージュにいたる政治体制下の、ラーゲリや強制収容所の生地獄で傷つき死んでいった政治の犠牲者は、すくなく見積もっても、億の単位に達することはほぼ確実である。故周恩来首相がかたったと伝えられるように、中国の文化大革命の犠牲者だけでも、日中戦争の犠牲者の数をはるかに上回るともいわれている」（『二十世紀と共に生きて』）

イデオロギーが人びとを大量殺りくに駆り立てたのである。その最たるものがマルクス主義であった。イスラム過激派もその範疇に属するのはいうまでもない。これに対して、永井が示した処方箋は傾聴に値する。保守主義の原点がそこにあるのを、私たちは再確認すべきなのである。「われわれは、よりよい状態を夢見て、この地上に楽園を創りだそうとするまえに、より悪しき状態におちこむことを回避し、現実を少しでも耐えやすいものにするには、何を為すべきか、また、何をなすべきではないかを真剣に考えるべきときなのである」（同）

永井が問題視したのは、二十世紀後半の日本の思想的な状況であった。岡崎久彦の『戦略的思考とは何か』、京極純一の『日本の政治』、浅田彰の『構造と力』を槍玉に挙げたのである。

永井は、岡崎の「地政学的な決定論による官僚エリート主義」を、京極の「田中現象に象徴されるような、日本の〝政界〟という業界の混沌たる世界を、カオス、ノモス、コスモスの三カテゴリーに還元し、われわれ日本人庶民の慣用語、ことわざ、俗諺の多様な引用のなかに隠されたパターンをえぐりだす手法のあざやかさ」を、浅田の「パリ直輸入の知的ファッションの『着せ替え人形』あそびの身軽さと、その逃走のすばやさ」を一定程度は評価しつつも、危険な「グノーシス的知性の密教エリート主義」と断罪したのである。

そこに魔力があるから、なおさらに人々を魅了してやまないのである。岡崎と浅田は、思想的には相反する立場のように思えるが、永井にとっては、何が書かれているかが問題であって、表面上の右左など、どうでもいいのである。

永井は三人を「古代ギリシアからキリスト教の伝統をへて、マキャベリ、ホッブスから、ウェーバー、レイモン・アロンにいたる政治思想の正統にたつ実践的思惟の哲学とは異なって、この世界を観て意味を了解する傍観者の解釈学におわっている」と批判したのである。

永井によれば、「知のグノーシス主義」は世界的な流れである。「われわれの知覚する表層の出来事や現象は、その下部にある深い構造とパターンに還元され、世界を記号とその交換、その交換のルールによって解釈可能と考える共通の傾向をもって」おり、マルクス主義に代わるトータルな認識体系となっている。

二つ目は、新社会ダーウィニズムとしての社会生物学である。「人間社会や文化の多様性を否定し、人間の社会活動も、白アリにも適用可能な、単純なルールや遺伝情報に還元することが可能であるとみなす」ことで、新保守主義のプロパガンダとなっている。

三つ目は、国際政治や戦略論での地政学の復活である。「日本の防衛は、日本をとりかこむ外的環境のみならず、外交姿勢や戦略的選択などの主体的対応いかんによっても変わるということを否定し、地政学的位置によって決定されている、と主張するのはその好例である」として、岡崎に代表されるように、日本ばかりでなく、世界中で外交・安全保障に関しては、素人が口出しできないような環境が生まれていることを、永井は危惧したのである。

それ以外にも永井は、各種のファンダメンタリズム（原理主義）についても、現代版のグノーシス主義の例として挙げている。当然のごとくイスラムばかりではなく、アメリカのキリスト教右派も含まれるのである。

令和の時代でも、その状況は変わってはいない。ポストモダンを掲げる左派は、観照主義的な価値相対主義のままである。アルチュセールやロラン・バルトの日本における研究家は、新たな「着せ替え人形」として商売のタネにしているだけだ。保守派の多くは、自分たちの言説で全て説明が付くような口ぶりである。このままでは「能動的ニヒリズムの革命」に屈することになるとの永井の危惧は、より真実味を帯びてきているのではないだろうか。

戦後保守の堅実さを評価

戦後の日本は平和であった。本格的な戦争に巻き込まれることはなかった。だが、二十世紀全体でみるならば、戦争と革命の時代であった。情け容赦ない大量殺りくが行われた。

永井は「かりにも、二十世紀が、二十一世紀にくらべたら、まだしもパラダイスであったと、羨《ねた》むようなことが、ゆめゆめあってはならない」と警鐘を乱打していた。そのために、できる限り努力をすることを望んでいたのである。

永井は、理想を実現とすることより危機を回避することを主張した。昭和六十年に世に出た『現代と戦略』では、その具体策が述べられている。

危機管理に関しても「あらかじめ準備することは無駄である」と断言し、「危機は回避されるべき」と主張した。「いまは、戦争を回避し、抑止するという単一目標にむかって全力投球する以外に、われわれ人類に残されたみちはないのである」と公言して憚らなかったのである。

新たなイデオロギーによって、新たな地平を切り拓くことに、永井は否定的である。「大東亜共栄圏」や「アジアの解放」とかを断念した戦後の日本の保守の堅実さを高く評価した。ゲーム理論の「ミニマックス」と呼ばれる戦法を採用したからである。

「自分の内的力を充実し、自己のミスを最小におさえ相手方のミスの自然増を待つ」という戦略である。対外的にはどこまでも低姿勢に徹し、「相手がミスをおかす」のを待つのである。

日本を取り巻く東アジアの情勢は緊迫してきている。東京裁判史観批判をベースにした戦後体制を揺るがすような日本内部の動きには、韓国やアメリカが敏感になっている。

現在の日本の「歴史観」や外交・安保政策を疑問視し敵視しているそれらの国家に、どのように対処するかは困難を極めている。正念場に立たされている自公政権が選択すべき道は、どこに求められるべきか。

永井は『現代と戦略』において、ソ連に関して「鉄のカーテンに目に見えない無数の孔《あな》をうがち、やがてその堤防をも決壊させつつあるものは、まさしく水圧であり〝摩擦〟の自然増である」と指摘し、「西側の文化の流入が引き金になる」と力説していた。第三世界大戦が勃発せずしてソ連が崩壊したわけだから、かなりの説得力がある。

思想の冒険者永井陽之助

永井はあくまでも生身の思想家であった。徹底的に考え抜いたのである。瑕疵《かし》がないわけではないが、そのラディカルさは未だに光芒を放っている。右だとか左だとか判別せずに、何を語り、何を語ろうとしたかを問題にした。

思想とは突き詰めることであり、自らをアポリアとしての袋小路に追い込んでいくことである。「お花畑」にとどまっていては、すぐに思考停止に陥ってしまう。道がないところに道をつけるのである。誤りや失敗を重ねながらの忍耐強さがなくてはならない。

永井には高坂のような関西弁の歯切れの良さはないが、結論を急がなかったことで、数多くの問題提起をしたのである。戦後の日本の現実主義者は、パワーポリテックスの信奉者であった。それが間違っていたとはいわないが、そこに立脚しながらも、別の道筋を示した思想家はまれであった。永井が夢見た「トランスネーション」への創大な構想は、私たち人類が最終的に目標にすべきなのである。

現実を無理して変えることよりも、最悪の事態を回避するために、私たちは努力をしなくてはならない。しかし、そのことは現状を追認することではないのだ。

ウェーバーの徒でありながらも、永井は夢を捨てきれなかった。永井の志を受け継ぎながら、どう踏み越えていけるかは、私たち一人ひとりに突きつけられた課題なのである。

思想的冒険者としての永井は、あえてウルトラCに挑戦して、たまたま床に手をついてしまった体操選手である。それを誰も笑うことはできない。物事を単純化して人々を誤った方向に導くよりは、はるかに賢者の道なのである。

第二章　ナショナリズムは幻想なのか――橋川文三の言説とアポリア

ナショナリズムを論じることは時代遅れなのだろうか。経済がグローバリズム化して、国家の壁はより低くなっている。しかし、その一方でトランプのアメリカにみられるように、世界では自国の利益を最優先する動きが強まっている。移民などをめぐって、世界中の国々で混乱が起きているのも確かであり、そこで頭をもたげてくるのがナショナリズムなのである。昭和四十三年に出版された橋川文三の『ナショナリズム　その神話と論理』は、今もなお刺激的な言説であり、それをどう読み解くかで、ナショナリズムの問題点を浮き彫りにすることができるのではないだろうか。

「あとがき」で橋川は「御覧のような均整のとれない、中途半端な記述におわった」と述べているが、昭和三十五年に『日本浪漫派批判序説』を世に出した。同じ年に『近代日本政治思想の諸相』を発刊し、戦後の日本におけるナショナリズムの議論をリードしたのである。三島由紀夫の『文化防衛論』をめぐっての二人の論争も、その一つであった。

とくに私がこの本にこだわったのは、紀伊國屋の新書版として書かれたこともあり、簡潔にまとめられているからだ。橋川の考え方の根本が透けて見えてくるのである。序章ではナショナリズムの理念そのものが多義性を帯びていることに着目している。

橋川のナショナリズム論は、まず言葉から吟味する。日本語では民族主義と訳されることで、どことなく排外主義的な意味合いが強調されがちである。しかし、橋川は「英語のナショナルという語は、しばしば全人民に共通するあるものを意味している。たとえば国語というふうに」と述べ、「ネーションとは人民のことである」ということを指摘する。それと比べると、ドイツや日本は「自由とは無縁なナショナリズムの伝統」があるというのだ。橋川は日本の暗い過去を意識しており、軍国少年であった思い出と重なることで、批判の対象にしたかったのだろう。

そこにプラスして「大衆の経済生活の要求と日常的に結びついたナショナリズムの進展は、それまで漠然と自由主義的に夢想されていたナショナリズムとインターナショナリズムの自らなる調和というイリュージョンを根底からゆるがすことにもなった」というアポリアを直視したのである。橋川にとっては、アメリカ人が国旗に対して絶対的に忠誠を誓うのは、自由のなせることであり、日本人が日の丸に敬意を示すのは排外主義なのだろうか。戦争中に軍国主義の虜になり、日本浪漫派に惹かれた自らを断罪せんとするがために、盥の水と赤子を流してしまうようなことがあってはならないと思うのだが。

ナショナリズムとパトリオティズム

橋川文三はナショナリズムの本質をきちんと見抜いた。それをはっきりさせるために、パトリオティズムやトライバリズム（部族中心主義）との違いに注目した。日本ではすぐにパトリオティズムというと、「愛国」とか「祖国」を連想するが、橋川はそれに異議を唱える。「歴史の時代をとわず、すべての人種・民族に認められる普遍的な感情であって、ナショナリズムのように、一定の歴史的段階においてはじめて登場した新しい理念ではない」として、その違いを強調した。

橋川は石川啄木や正岡子規の文章まで持ち出して、郷土愛と国家への愛を必死になって区別しようとした。そして、橋川は「郷土感情の方は人間のパーソナリティの内部に深く潜在しており、何かの折にふれて湧然とよみがえるという場合が多い」と定義した。国家という目に見えない抽象的な理念よりは、幼い日に目にした風景が変わらずあれば、私たちは安心感を抱くのである。そして、そこには決まって元気だった頃の父母が立っているのだ。愛情を注いでくれた肉親や見慣れた風景との関係を通して、自分は何者であるかを考えることは、素朴で自然な感情なのである。

しかしながら、ナショナリズムとパトリオティズムの相違点を浮き彫りにしただけでは、通り一遍の議論でしかない。その違いを確認しながらも、ナショナリズムにパトリオティズムが利用されてきた歴史があるというのだ。なぜそうなってしまったかについては肉薄せず、郷土が奏でる基底音に耳を傾けることで、ナショナリズムを相対化しようとしたのである。

「要するに、人間永遠の感情として非歴史的に実在するパトリオティズムは、ナショナリズムという特定の歴史的段階において形成された一定の政治的教義によって時として利用され、時としては排撃されるという関係におかれている。いわゆる郷土教育の必要が説かれるのは、ナショナリズムの画一主義が空洞化をもたらし、その人間論的基礎の再確認が必要とされる時期においてであるが、この場合には、パトリオティズムは、ナショナリズムの社会的機能障害に対する有力な補完作用として利用されている」

難解な言い方をしているが、かいつまんで言うならば、誰にでも郷土愛はあり、それを時の権力者が操作したというのである。吉本隆明流の表現では、それは底上げされたナショナリズムということになるだろうが、郷土愛も一定の空間と、そこでの歴史に育まれたことは否めず「人間永遠の感情として非歴史的に実在するパトリオティズム」というよりも、その時間と空間の特殊性を無視してはならないのである。

さらに、郷土感情としてのパトリオティズムを被害者の視点だけで見るのは、あまりにも単純化し過ぎではないか。パトリオティズム自身がナショナリズムへと飛翔する可能性を秘めているのではないか。そこにはある種の物語があるはずで、徐々に上に昇っていく階段があるなしかなのである。橋本が力説する「特定の歴史的段階」とは、いうまでもなく、近代における国民国家の成立を指すのだろう。そこで問題になるのがルソーである。

一般意志は神に代わる神

偉大な思想家であればあるほど、多義性があるのではないだろうか。単純に決めつけられないものがあるからこそ、後の世までその名を留めているのだ。橋川はルソーのナショナリズムが時代的な要請に応じたものであることを看取していた。

「ルソーのいわゆるパトリオティズム（＝ナショナリズム）が、個人の意志をこえたある普遍的・絶対的意志への服従を意味していることがわかる。その一般意志はいわば伝統的な神にかわる新たな神という意味をおびていた。そしてその新しい教会に当たるものが従来の『キリストの共同体』にかわって、ネーションとよばれるものにほかならなかった」

橋川は単純に図式化してルソーを論じているが、それで本当によいのだろうか。ルソーの『社会契約論』（井上幸治訳）の目指すべき方向はそうであったとしても、その実現性については、ルソー自身が懐疑的である。それでいてルソーは、人間が一歩前に踏み出すことを主張し、それがどのような理念にもとづくものかを語ったのである。

「自然状態から社会状態へのこの移行は、人間の行為において正義をもって本能に置き換えたり、それまで人間の行動に欠けていた道徳性を与えたりすることによって、人間にきわめて注意すべき変化をもたらすのである。このときはじめて、義務の呼び声は肉体的衝動に、権利は欲望に入れ替わることになり、それまで自分しか考慮していなかった人間は、違った原則に基づいて行動し、自分の好みに従う前に理性に図らなければならない。人間がこの状態において、自然から受けた多くの利益を失ったとしても、大きな利益を取り戻し、その能力は訓練されて発達し、その能力は訓練されて発達し、その思想は広がりを加え、その感情は崇高になる」

社会の発展に対するルソーの楽観的な見方が披露されているが、それが精神の自由への離陸なのである。欲望をむき出しにして生きるのではなく、理にかなった法を制定し、それへの服従は自由を否定するわけではない。それを成立せしめる根拠が一般意志であり、「一般意志のみが、公共の福祉という国家成立の目的に従って、国家の諸力を指導しうる」という理想の国へと一歩近づくのである。

さらに、ルソーは「意志は一般的であるか、一般的でないか、いずれかである。すなわち、意志は人民全体の意志であるか、単に人民の一部の意志であるか、いずれかである」ということで、特殊意志と一般意志を区別する。全体意志と一般意志との違いについても触れている。「一般意志は共同利益にしか注意しないが、全体意志は私的利益を注意するもので、特殊意志の総和に過ぎない」からである。

「正義はすべて神から由来し、神のみが根源である」との立場を否定するルソーは「理性のみから発する普遍的正義がある」と主張する。そして、当然のごとく「この正義がわれわれのあいだで承認されるためには、相互的でなければならない」のである。そこで権利と義務の結合がなければならず、「正義にその目的を達成させるためには、合意と法が必要」となるのだ。

法は一般意志の行為であり、公共の利益が優位を占めることになり、そうした国家は共和国と呼ばれるのであって、どういう行政形態であるかは不問に付される。ただし、その立法者に関してルソーは、様々な条件を提示する。無神論者に近いルソーが、こともあろうに神のごとき者を想定するのだ。誰もができることではなく、多くの人間が集まっても、立法者となることはできない。

「諸国民に適した最上の社会規則を発見するためには、すぐれた知性の人を必要とするであろう。それは、人間のあらゆる熱情を理解しながら、そのいずれにも動かされず、われわれの本性になんのかかわりもないのに、これを根底から知りつくし、自分の幸福はわれわれと関係がないのに、しかもわれわれの幸福をよく配慮し、最後に、時の進み行くにつれて、はるかなる栄光にそなえつつ、ある時代には労苦をつみ、次の時代にはその成果を享受しうる人でなければならない」

神のごとき立法者と独裁

明らかにルソーはプラトンの『政治家』に依拠している。あくまでも理想であることを承知しながら、民衆の支配を確立するための前提条件を述べているのだ。民衆が歴史の表舞台に登場することを後押ししながらも、同時に牽制することも忘れないのである。制度をつくる者は、人間性を一変させることを念頭に置き「みずから完全な孤立した一つの全体をなす各個人を、この個人になんらかの意味で生命と存在を与える一つのより大きな全体の一部に変えること、人間の体質強化のためにこれを変えること、われわれが自然から受けた独立の肉体的生存を、部分的・精神的存在にまで置き換えることができるという自信を持つべきである」と強調したのだった。「簡単に言えば、立法者は人間から固有の力を奪い、それまで人間に無縁であった力、他人の援助がなければ使用することができない力を与えなければならない。自然的な力が失われ、それがなくなればなくなるほど、新たに得た力は大きく永続的で、制度もまた堅固になり、完成になる」

神以外には不可能なことであると断りつつも、あえてそこまで突き進むことを奨励するのである。試験管の中で、新たなる生命を誕生させる研究者のような、不気味なニヒリズムを感じ取るのは、私だけであろうか。橋川もその点を見抜いていた。だからこそ、ルソーの思想を生み出した土壌として、彼の性格と境遇にスポットを当てたのである。J・L・タルモンの『フランス革命と左翼全体主義の源流』をわざわざ引用したのも、それを抜きには語れないと思ったからだろう。母なき浮浪児で、愛情に包まれることもなく、それが結果的に無政府主義者で反抗的な性格を形づくる一方、スパルタとローマを賛美し「規律と集団への個人の没入を説く」という相反することを正当化したというのだ。

しかし、不幸な運命の星の下で生まれたとしても、ルソーの思想をそれで説明し尽くすことは難しい。それよりも名も無き民の一人として、民衆のエネルギーの爆発にどのように歯止めをかけるかを問題視したのではないだろうか。性格や境遇を無視すべきではないが、結束した民衆の行進の足音が遠くから徐々に近づいてくるのを意識しながら、そこに方向性を与えようとしたのではないか。カール・シュミットに受け継がれる徹底したリアリズムの萌芽があるのではないだろうか。二重人格という言葉で括るのは間違っている。民衆が健全であり続けるためには、何が求められるかを書くことで、誤った民衆支配への警鐘を乱打したのである。

国難にあたって、もっとも脆弱であるのは、国論が分裂することだ。「船頭多くして船山に登る」という事態を恐れたのだった。議論百出では先に船を先に進めることは困難である。舵取りは少数でなければならず、命令指揮系統は一本でなければならない。

「法のもつ硬直性は、それが事件のなりゆきに順応することを妨げ、ある場合には、法を有害なものにすることもあり、また、国家が危機に陥ったときには、法によって国家の滅亡をまねくこともありうる。秩序や手続き上のてまは、ある程度時間的な余裕を必要とするが、ときには、事情がこの余裕を許さないことがある。立法者が予想しなかったような事情はいくらも生じうるし、人はすべてを予見できないと感得することこそ、欠くことのできない先見の明である」

神様のような人間がつくった法律や制度であっても限界がある。それを突破する権力の集中を容認するのである。ルソーは夢物語を語っているようで、あくまでもリアルな判断をしている。

一般意志を論じ、そこでの民衆の役割を強調しながらも、偉大な思想家として冷水を浴びせることも忘れないのである。

「民主政という用語を厳密に解釈すれば、真の民主政はかつて存在したことがなかったし、これからも決して存在しないであろう。多数者が統治して少数者が統治されるということは、自然の秩序に反している」

明治維新とナショナリズム

橋川のルソーへの反感は徹底している。それは日本のナショナリズムを論じる場合も同じであった。「日本におけるネーションの探究」においても、同一のトーンで語られている。

「ナショナリズムは、すでに見たように、懐かしい山河や第一次集団への本能に似た愛情ではなく、より抽象的な実体、即ち新しい政治的共同体への忠誠と愛着の感情であった。いわばこの二つの感情、意識の間には、あたかも経済学上の『離陸《テイク・オフ》』に似たもの、宗教的な啓示に似た断絶が必要であったといえるかもしれない。日本人もまた、ある古い愛着の世界を離脱することによって、ナショナリズムという謎にみちた新しい幻想にとらわれることになったのである」

日本がネーションという言葉で語られるようになったのは、嘉永五年（一八五三）のペリーの来航がきっかけであった。予想せざる他者の出現によって、日本人は日本人であることを確認さ

せられたのである。日本人が一国民であることを発見したのは、明治になってからのことなので
ある。それ以前からも欧米列強の脅威が身近に迫っていることは知ってはいたが、実感したこと
の意味は大きかった。

欧米列強は産業革命に突入することで、海外に乗り出してそこで覇権を競い合うことになった。そこで国家意識が芽生えることになり、領土が確定されていくのである。それと違って日本は、自分たちの意向を無視して、政治的な主張を貫こうとする他者の出現によって、否応なく国家的な統一を迫られたのだった。藩国の意識が意味をなさない代物になったのである。

重層的に物事を考える橋川は、その衝撃が与えた影響を社会学的に分析したのだった。支配層が「皇国」や「神州」という勤皇思想を持ち出すことで、他者としての欧米列強との対抗心をつのらせたとしても、それはネーションには直結しないからだ。橋川は「僅々《きんきん》四〇万戸の封建家臣団の心中に浮かんできた全封建支配層の運命共同の意識にすぎなかったかもしれないからである」と留保したのである。

それに関する橋川の分析は見事であった。「一般に封建的支配層が形成期のナショナリズムに対して敵意をもつか、冷淡であることは、歴史的にも、理論的にも明かな事実とされている」と指摘した。中央集権化するナショナリズムへの無理解、国民として平準化されることへの不安があったことは事実である。それはマニアックな西洋排撃であり蔑視であったが、フランス革命時のベルトラン・バレール・ド・ヴュザックの国民へのアピールとの違いは明確であった。橋川は

それを持ち出すことで、封建体制を維持したままでのナショナリズムには限界があったというのだ。

さらに、全国に八十万ともいわれる豪農・豪商の「中間層」も、ネーションをつくり出すことはできなかった。あくまでも武士と同格の地位を求めたのであって、封建性を打破するエネルギーにはならなかった。「中間層」に国学が広まったのは、朱子学を主とした武士階級への反発があったからだが、社会変革の政治論を提起するまでにはいたらなかった。橋川は国学の限界をも見極めたのである。

「すべてのフランス人民は、男も女も老いも若きも、祖国によって自由を防衛するよう呼びかけられている。あらゆる精神的・肉体的能力、あらゆる政治的・産業的能力は祖国に属する」との一体感が欠如していたことは否定できない。

日本人にとって思想というのは、あくまでも自己正当化のプロパガンダでしかない。状況が刻々変化すれば、絶えず乗り越えられていくのである。水戸の徳川斉昭らにしても、洋学を排したのではなく、自らの独占物としたかっただけである。それは幕府も同様であった。大義名分と攘夷の水戸学にしても、そして密航を企てた吉田松陰にしても、現実主義的なリアルな判断がまずあった。革命家として処罰されたのは、あくまでも成り行きでしかない。何を優先すべきかを考えるうちに、討幕に向かうことになったのであり、討幕が先にあったのではない。

水戸学が幕府と封建性を否定するまでに突っ走ったのは、現実に触発されたためである。そこで過敏に反応したのが吉田松陰であった。水戸学の影響を受けた松陰は「皇国の皇国たる所以」を知ることになったが、橋川が着目したのは忠誠対象をどう考えたかである。松陰が兵学の徒であったことから、合理性を追求する学問の徒であったからだろう。

また、東北旅行などで見て回ったことが背景にあるのだろうか。藩のレベルにとどまらずに、いかに日本国内に限定されていたとしても、どこまでも出かけて行ったことで、思想以前に藩を突き抜けるパトスを手にしたのである。「処士横議」によって、自由に行き来することになれば、見えないものが見えてくるのである。

吉田松陰の忠誠対象とネーション

橋川は松陰の「転向」を掘り下げることで「松陰の場合、その忠誠対象が明確に具体的な天皇の人格に転位したということ、それが藩体制をこえたより一般的な忠誠心の対象として定位されたということは、のちのネーション形成のための突破口を開いたものであった」との見方を示したのである。

「日本人によって形成される政治社会の主権が天皇の一身に集中されるとき、他の一切の人間は無差別の『億兆』として一般化される。論理的には、もはや諸侯・士大夫・庶民の身分差はその先天的妥当性を失うこととなる」というのは当然で、そこで橋川は「松陰は天皇への熱烈な敬愛

（＝恋闕）を基軸として『国民』意識の端緒をとらえたといえよう」と分析した。

松陰より先に討幕を主張していた黙霖との交渉や安政五年の違勅調印問題がきっかけとなったにしても、本質はもっと別なところにあったのではないか。私たちはルソーの『社会契約論』（井上幸治訳）の「立法者」について書かれていることを、再度思い出さなくてはならない。立法者は人間を支配する権力者ではなく、法や制度を権威付けするための存在なのであり、日本においてはそれが天皇なのである。

ネーションにまで辿り着くには、それを経なければならないことは、ルソーも強調している。しかも、それぞれの国柄によって違いがあることも。一般意志を形成するには法や制度を踏まえなければならず、それを権威付けするのは「神々でなければならないであろう」とまでルソーは助言したのである。権威の裏付けなしには権力の行使も難しいのである。

丸山眞男の弟子であり、日本の国柄を断罪した橋川は、松陰の天皇観にもとづいて、明治国家を構想した伊藤博文を「あらゆる宗教にかわって皇室を日本国家の『機軸』として設定し、その上に明治国家体制を構想したとき、松陰が予見したであろう天皇制的『国民』の制度化が完成されたということができよう」と解釈したのである。

松陰と天皇とを結ぶ絆は絶対であった。そこで一般意志が形成されないというのは詭弁でしかない。いかに国内が分裂して争っていても、天皇を仰ぎ見ることで共通の価値観が育まれるのが日本の国柄なのである。橋川はそれを排斥することで、三島由紀夫が嘆いていたように、日本のナショナリズムの核心部分をつかみながら、それを否定することに全精力を傾注したのである。橋川の主張は空しい叫びであった。

「日本人は、今にいたるまで、かつて真に自らの『一般意志』を見出したことはなかったといえるかもしれない。なぜならば、かつての天皇制のもとでは、天皇の意志以外に『一般意志』というものは成立しないと考えられたからであり、もししいて天皇制のもとで国民の一般意志を追求しようとするならば、それはたとえば北一輝の場合のように、天皇を国民の意志の傀儡とする道しかなかったからである。後者の道は、二・二六事件によってその不可能が立証された。日本人の『一般意志』は、それ以来いまだ宙にういたまま、敗戦後の一世代を迎えようとしているというべきかもしれない」(「ナショナリズム　その神話と論理」)。

帝国憲法下において、天皇の意志がどのように示され発揮されたかを、橋川はエビデンスにもとづいて検証したわけではない。わずかに二・二六事件の評価をめぐって、天皇の意志と衝突し敗北したとの認識にとどまり、日本人の一般意志を深く掘り下げたわけではない。素直に日本の国柄を評価し、無私なる天皇との結びつきに置いて、日本人の一般意志が確立されたか、また確立されうるかについて論じるのではなくして、上から押し付けられた「天皇制」という言葉で思考を停止してしまうのだ。

橋川ともあろう思想家がその体たらくである。連綿と続いてきた皇室とて、民衆の同意を経なければ有効な力を発揮できないのである。民衆の支配を円滑に進めるためには、一人ひとりのなかにある種の倫理観がなければならない。それは日本の伝統や歴史に根差したものでなければならず、それを無視すれば、一般意志は暴走してしまうのである。それを宗教と同一視してはならないのである。

国論が分裂し収拾に苦しむ事態になれば、精神的な権威が求められる。日本においてはそれが天皇であった。終戦に際して天皇の御聖断がなければ、あの戦争は泥沼となっていただろう。進歩派に身を寄せた橋川には、それへの論及がまったくない。「天皇制」は悪だとの決めつけがあるからだろう。

橋川は「あとがき」で「まさに著述における遭難の危機感にとらわれたこともしばしばである」と告白している。道に迷うことを恐れて頂上に立つことを断念したのではないだろうか。日本のナショナリズムのよき理解者を自任しながら、最終局面で突き放したのであった。松陰にとってのネーションを論じて見せながら、そこに深入りすることをためらったのだ。

橋川は昭和五十八年に亡くなったが、晩年は心身ともに消耗していたといわれる。日本のナショナリズムを論じながらも、西洋との対比で「一般意志」を否定したわけだから、日本という国民国家そのものに懐疑的であったのではないか。先の戦争で日本人が三百万人もが犠牲になったとしても、戦争をする主体が形成されていなければ、実際に戦争をしたことにはならない。晩年の不可解な言動もそうした立場から考慮すれば、根も葉もないことではないのだ。しかしながら、それは極論でしかない。日本人は一億火の玉となって戦ったのである。

日本浪漫派に心酔したことがある橋川は、政治から文学や芸術を排除したかったのだろう。しかしながら、政治の主役は生身の人間であり、そこには様々なものが紛れ込むのである。ニーチエに「深淵をのぞくとき、深淵もまたお前をのぞいているのだ」との言葉がある。橋川はミイラ取りがミイラになるのを警戒したのではないだろうか。戦後の歪められた言論空間にあっては、それもやむを得ないことであった。それを差し引いてもなお価値があるのが橋川の『ナショナリズム　その神話と論理』なのである。頂上には登らなかったものの、その近くまで行った者にしか見えない光景が、橋川の文章から浮かび上がってくるからである。

第三章　大川周明は革命家なり――大アジア主義の今日的意義

大川周明の大アジア主義は日本革命と不可分であった。そのことを理解しなければ、言葉の表面をなぞっただけにとどまるだろう。それを端的に述べているのが『復興亜細亜の諸問題』の序文である。大正十一年に世に出たその本では、アジアの復興イコール日本革命であった。それは今日においても色褪せてはいない。アジア全体が変わらなければ、日本もまた変わりようがないからである。

大川にとっての「日々の祈り」は「大乗相応の地」である日本がその使命を果たすことであった。それが「日本の為であり、亜細亜の為であり、而して全人の為」であるとの確信を抱いていた。日本が優越した民族であるからではなく、日本自身が変わるための突破口となるからである。「唯《た》だ痛恨極まりなきは、今日の日本が尚未だ大乗日本たるに至らず、百鬼横行の魔界たることである。日本の現状、今日の如くなる限り、到底亜細亜救拯《きゅうじょう》の重圧に堪えず亜細亜諸国また決して日本に信頼せぬであろう」

現状のままの日本であっては、アジアの国々は納得しないと断言している。アジアの復興を成し遂げるためには、同時進行で日本も生まれ変わらなくてはならないのである。そのことを絶えず大川は念頭に置いていたことを忘れるべきではない。革命家としての叫びがまず大川にはあったのである。

「南洲小楠の霊、地下に瞑するに由なく、眼前の局捉に囚はれ、蝸牛角上《かぎゅうかくじょう》の競合に没頭して他を顧みざる日本政治家共を唾棄《だき》し、偏へに望みを純一武侠の青年に属して居ることを。吾等の正義は一貫徹底の正義でなければならぬ。吾等の手にある剣は双刃《もろは》の剣である。其剣は、亜細亜に漲る不義に対して峻厳なると同時に、日本に巣喰う邪悪に対して更に秋霖烈日の如し。かくて亜細亜復興の戦士は、否応なく日本改造の戦士でなければならぬ。啐啄《そったく》一時、大乗日本の建設こそ、取りも直さず真亜細亜の誕生である」

かつては西洋よりも進んだアジアであったにもかかわらず、いつの間にか従属下に置かれることになった。そのこと自体が異常なのである。それを正す先頭に日本が立つべきだというのだ。日本がロシアを日露戦争で破ったことが、西欧に対するアジアの最初の一撃となったのである。大川は「日露戦争は、亜細亜自覚の警鐘となった。而して日露戦争に於ける日本の勝利によって、世界史の新しい局面が展開されることとなった」との見方をしたのである。それまでのアジアは、西洋の強国同士の覇権争いの場となっていた。アメリカ大陸と東インド航路の発見によって、イギリスは世界に雄飛することとなり、アジアに目を付けたのだった。

そして、イギリスはスペインとオランダを打ち破り、さらに、フランスのナポレオンとも戦って勝利を手にした。急速に勃興したドイツをも孤立させるのに成功した。ユニオンジャックが世界の海を支配し、最盛期にはその領土は地球の全陸地の四分の一、人口は全人類の三分の一を占めるにいたったのだ。

大川はそうした歴史を回顧しながら、世界が欧米の覇権を争う場になっていることを嘆き、アジア全体が統一して対決すべきことを説いたのである。しかも、ロシアに革命が起きたことで、西欧の内部にほころびが生じたことを重視した。西欧の未来は楽観を許さなくなったのである。大川はロシアの共産主義を支持したのではなかった。西欧諸国の内部矛盾と捉えたのだ。大乗無き西欧への批判をこめて、共産主義を引き合いに出したのである。

日本こそがアジアを体現

日本がなぜその崇高な使命を担うことになったかを、かいつまんで書いているのが『日本二千六百年史』である。大川の大アジア主義を解明する重要な論点が取り上げられている。大川は日本精神の特徴を「入り来る総ての思想文明に『方向性を与える』ことである。それ故に吾らは日本精神を偉大なりとする。そはまさしく一切の支流を合わせてその水を大海に向わしめ、かつ之によりて己を豊かならしむる長江大河の偉業である」と述べている。

中国の儒教が徳川時代には国民道徳の主要な原理となった。インドで誕生した仏教についても、今の世にまで信仰が続いている。すでに支那とインドでは力をなくしてしまった信仰が、未だに日本では息づいている。本家本元ではなく、かえって周辺部に過ぎない日本こそが、儒教や仏教の正統な継承者なのである。

失われた精神文化をもう一度取り戻すには、中国やインドの人々は、日本の精神文化を仲立ちとする以外ないのである。それは間違っても日本人を絶対視することではない。日本は中国やインドの人々が目覚めるために、喝を入れるだけなのである。あくまでも主体は彼らなのである。日本が先んじて西洋に対して武力を行使するのも、アジア全体が身構えないからであって、必要に迫られての行動なのである。それは大川が鎌倉幕府を肯定するのと一緒である。南朝方一辺倒の皇国史観に与しないのは、武力の行使を正当化するためであった。

「鎌倉幕府の創立は、止むなき必要に迫られたる政治的改革であった。もし平安朝時代に於て、偉大なる政治的天才が続出したならば、大化革新の趣旨を徹底せしむること、必ずしも不可能ではなかったろう。不幸にして第二の天智大帝現れず、第二の鎌足も現れなかった為に、その理想たりし中央集権制度の実現はついに水泡に帰し、国民の政治的統一は全く失われて、極言すればほとんど無政府状態に陥ったのである。而して国家をこの政治的頽廃より救ったのは実に源頼朝の功業に帰さざるを得ぬ」

それも政治的なレベルの評価にとどまるのではなく、道徳的な面における実績を評価するのである。それが時代的な要請であったとしても、わざわざそこにスポットを当てるのは、皇国史観一辺倒でなかったことを物語っている。

「もと武士道は、武将及び代々之に仕えたる武人との間に結ばれたる特殊の主従関係に胚胎《はいたい》し、さらに武人相互の間に及んだもので、主君に対する純一にして熱烈なる忠誠を経とし、飽くまでも自己の体面を尚《たっと》ぶ凛然たる自尊を緯とせるもの、後に儒教によりて体系を与えられ、仏教によりて哲学的基礎を与えられたる道徳である」

朝廷に弓を引いたことが強調されがちだが、無政府になりがちな世の中を安定させたばかりではなく、その根拠となる道徳すらも樹立したのである。それがどんな意味を持っていたかについては、皇国史観の代表格の北畠親房ですら『神皇正統記』において「凡そ保元平治より以来の乱りがはしきに、頼朝と云ふ人もなく、泰時と云ふものなからましかば、日本国の人民いかがなりなまし。このいはれをよく知らぬ人は、故もなく皇位の衰へ、武備の勝ちにけると思へるは誤りなり」と書いたのである。

それは蒙古来襲のときの北条時宗も同じであった。蒙古が通交を求めてきたのを拒否したのは、その先にあるのが属国化であることを周知していたからである。慌てた朝廷は返書を出そうとしたが、時宗は「断じて返書無用なるべき旨を奏上し、使者を逐い帰して凛然たる覚悟を示してやった」のである。もし決断ができなければ、日本はその時点で滅亡したに違いない。

鎌倉幕府の後を引き継いだ足利氏の室町幕府は、当初から限界があった。大川からすれば中途半端であったためだ。統一した国家を形成するのを諦めて、あくまでも「尊氏はその門地と声望とを以てして、自然に保守党たる多数の大小名の統領と仰がれ、公家一統の新政治を建てんとする革新主義の政治家と戦い、北条氏の制度を守りて何ら異常なる改革を行うことなく、よく大地主の歓心を収めて室町幕府の創立者となった」だけなのである。

革新国家日本を目指す

大川が目指すべき日本の国家像とは、室町幕府ではなく鎌倉幕府であった。利害の調整者としてではなく、絶えざる革新を実行に移す主体でなくてはならないのである。統一力の欠如が致命的な結果を引き起こしたのである。皇室もまたその影響を受けることとなった。「皇室の御式微《おんしきび》も実に室町時代の末期より甚だしきはなかった」といわれる。

だからこそ、新しき統一が問題になり、そこに織田信長が登場するのである。大川は信長が革新者であった点に注目をする。「彼は己れ自身が無比の英雄なりしが故によく他の英雄的素質を看取し、門閥を問わずまた生国を問わず、苟《いやしく》も実力ある者は悉《ことごと》く之を抜擢した」のは、進取の気象に富んでいたからなのである。そして、革新者の常として「彼はその大業の当初より、日本国家の新しき秩序は、国民の心の奥深く根ざし、千秋万古《せんしゅうばんこ》抜くべからざる勤皇心を基礎として築き上げねばならぬことを知っていた」のである。その流れは信長が死んでからも、逆流することはなかったのである。

「さて信長の突然の死は、折角統一の途に就きたる事業を破壊し去れるものなるが故に、世は再び乱れるかに見えたけれど、彼によって一統に向かわしめられたる時勢の潮は、彼去りても逆流することなく、加うるに彼の遺業は深き印象を世人に与え、天下皆その向うところを知りたるが故に、豊臣秀吉先ず彼の志業を継いで全日本を統一し、次いで徳川家康が、信長・秀吉の築ける基礎の上に、巧みに自家の権力を確立し、幕府を江戸に置いて日本の政権を掌握し、爾来《じらい》明治維新に至るまで約二百六十年間、家康の子孫が日本の実際の支配者となった」

しかし、そこで手にした革新の気風は海外への道が閉ざされたことで、エネルギーの発散の場を失った。徳川幕府の成立以前においては、日本は海外の動きに敏感であったし、アジアに向かって雄飛する者たちも後を絶つことがなかった。天文十二（一五四七）年に種子島に天保が伝来したのを受けて、わずか三十二年後には織田勢は約三千の小銃で戦うまでになったのである。カトリックの宣教師を受け入れることにも積極的であった。そして、多くの日本人がルソンにシャムに安南に出かけて行って、そこで活躍した。豊臣秀吉の朝鮮征伐では、明にまで攻め上ろうとしたのである。

宣教師の背後には侵略の野望を抱く国家が控えていることに気付いた幕府は、それこそ一国平和主義に閉じこもり、海外との交流を限定的なものとした。皇室が政治的な舞台から遠ざかることになったのは否めない。対外的に身構えることがなければ、国の根本が問われることはないからである。

「しかるに家康は、天皇の宗教的尊厳を高めることによって、新たに台頭し来れたる国民の尊皇心に満足を与えつつ他面一切の政権を皇室より自家の掌裡《しょうり》に収め、天皇を以て『皇帝』にはあらで単なる『天神』たらしめた。彼は皇居を守護するという美名の下に、最も信頼するに足る軍隊を京都に駐屯せしめ、厳に天皇の行動を監視せしめた。彼は皇族の一人を上野輪王寺の座主として江戸に招じ奉り、之を以て京都朝廷の人質とした。而して如何なる大名も、徳川氏の許可なくして宮廷に奉伺《ほうし》することを厳禁した。かくして天皇は、九重《ここのえ》の雲深く閉ざされたる、神秘にして高貴なものとせられ、皇居は文字通りに『禁裏《きんり》』となった」

新しき統一を実現した明治天皇

再び皇室が脚光を浴びたのは明治維新においてであった。政治的な次元で天皇が必要とされる状況が生まれた。欧米列強の侵略の脅威が高まっているなかにあっては、日本国民の絆を確認することが大事であり、幕府では限界があったからである。しかも、未曾有の危機であったがために、明治天皇自らが中心に立ったのだ。まさに革命的な変革のときであった。

「明治維新の建設的事業は、明治天皇の新政府の手によりて断行された。それ一切の改造は、常に強大なる中心勢力を要し、従って断固たる専制政治を欲する。総ての改造は、新しき統一を代表せる大専制者の出現を待ちて、初めてその成功を可能とする。フランス革命はナポレオンの専制によって成った。ロシア革命はレーニン及びスターリンの専制によって成りつつある。而して明治維新は、実にその専制者を明治天皇に於て得た」

保守的な政策では西欧には対抗できない。危機は切迫しており、専制もまたやむを得ないのである。明治になるやいなや、版籍奉還や国民皆兵制度の確立によって、日本は近代国家へと邁進した。それを実現するには権力を集中するしかなかった。とくに、明治十年の西南戦争までは、不平士族が日本中に溢れていた。それを解決するには武力によるしかなかったのである。

大川にとっての最終的なステージはアジアを覚醒させることであった。そのための前哨戦として、日本は日清、日露戦争で多くの若者の命を捧げた。しかしながら、その一方で日本自身の革命は後回しにされた。『日本二千六百年史』の結論は「かくして日本は、積年の禍根を断てとの大御心に添い奉り、東亜新秩序の建設を実現するために、獅子奮迅の努力を長期にわたりて持続する覚悟を抱かなくてはならぬ」ということであっても、それには大前提があるというのだ。

日本革命の展望を確保することがなければ、大アジア主義は絵に描いた餅でしかない。主体となるべき日本人の覚醒もまた、同時進行でなくてはならなかったのである。多言を弄さなくても、大川は専制者としての明治天皇亡き後の日本の政治に絶望した。絶望のどん底から這い上がるために、それを突破するきっかけとして、昭和六年の満州事変、昭和十二年の支那事変を利用しようとしたのが大川であった。それはまさしく「戦争を革命へと転化する」とのレーニンのスローガンと重なるものがある。それほどまでに日本の国内は深刻な状況に直面していた。とくに大正七年のコメ騒動に大川は胸を痛めたのだった。

「爾来日本の国情は、巨巌の急坂を下る如きものがあった。貧民と富豪との敵視、小作人と地主との確執、労働者と資本家との抗争は年と共に深刻を加え、もはや温情主義などを以て如何ともすべかざるに至った。この国民生活の不安を救うためには、幾多の欠陥を明らさまに暴露せる資本主義経済機構に対して、巨大なる斧を加えねばならぬことが明白なるに拘わらず、富豪階級と権力階級との多年にわたる悪因縁は、ついに徹底せる改革の断行を妨げて、唯だ一日の安きを愉《たのし》む弥縫《びほう》的政策が繰り返されるだけである。かつて万悪の源なるかに攻撃せられし藩閥政治は亡び去り、専制頑冥と罵られたる官僚政治もまた亡び、明治初年以来の理想なりし政党政治の世となった。而して国民は早くも政党に失望し、その心に新しき政治理想を抱くに至った」

大川の論理は保守派のそれではない。革命家の論理である。大アジア主義の中核たるべき日本は、中国大陸での中華民国との戦いに明け暮れていた。本来であれば日本と共に欧米列強と戦うべきであるのに、中国を支配する中華民国はアメリカの後押しもあって、重慶を拠点に徹底抗戦を止めない。『日本二千六百年史』が出版された二年後には、日米戦争の幕が切って落とされたのである。絶望のなかに一筋の希望を見い出そうとした、日本国民の思いと合致し、専門的な本であるにもかかわらず、数十万部を売りつくすベストセラーとなった。

日米開戦の原因とは

アメリカとイギリスに対する宣戦の詔勅が出されたのは、昭和十六年十二月八日であった。大川は同年十二月十四日より二十五日にかけて、ラジオ放送で「米英東亜侵略史」と題して話しをした。それをまとめた冊子が出版されたのが翌年一月二十八日のことであった。

大川はその冒頭の文章で、大正十六年の『亜細亜・欧羅巴・日本』において予言していたことであると述べた。「新しき世界の実現のために東西戦の遂に避け難き運命なることを明らかにして、之に対する日本の尊厳なる使命を省みるためでありました」と胸を張ったのである。そして、大川は「然らば日本とアメリカ合衆国とは、如何にして相戦うに至ったか。太陽と星とは同時に輝くことができないのでありますが、如何にして星は沈み太陽は昇る運命になって来たか。其の経緯を探ることが取りも直さず私の講演の目的であります」と語ったのである。

文化年中にロシア人が北海道に来て乱暴を働いたことで、鎖国の眠りから日本は覚めることになった。嘉永年間にはアメリカやイギリスの船が押し寄せて来た。オランダからの情報提供もあり、幕府の中枢は事態が切迫していることを察知していた。だが、本腰を入れて取り組むまでにはいたらなかった。場当たり的な対応に終始したのである。

それでも日本は難局を乗り切り明治維新を達成した。徐々に国家としての体裁を整えていったのである。日清・日露戦争までは、アメリカが日本に対して好意的であったのも幸いした。日本とアメリカの利害が衝突したのは、日露戦争後の満州をめぐってであった。満州の権益を日本が独り占めしようと企んでいると邪推したアメリカが、横槍を入れてきたのだ。アメリカの鉄道王ハリマンが南満州鉄道を買収しようと動いたこともあった。

また、日本人排斥がアメリカで顕在化したのも日露戦争直後であった。一九一一年には日本人の土地所有を禁止する法案がカリフォルニア議会で可決された。それでも一時は第一次世界大戦の勃発で下火になったが、一九一八年十一月に終結するとともに、またもや息を吹き返した。カリフォルニア排日協会は次の五つを断行すべしと決議したのである。

一、日本人の借地権を奪うこと

二、写真結婚を禁ずること

三、紳士協約を廃し、米国が自主的に排日法を制定すること

四、日本人に永久に帰化権を与えざること

五、日本人の出生児に市民権を与えざること

さらに、排日法を制定するために、臨時議会を制定すべしという内容である。それが全会一致で通過したのである。それでもセオドル・ルーズベルトは日本との対決を避けるべく努力した。日露戦争の終結に骨を折ったこともあり、ルーズベルトは政治的な後継者であったノックスに対して、助言すら与えていたのである。

「米国の最も重大なる問題は、日本人を米国から閉め出しても同時に日本人の善意を失わぬように努めることである。日本の死活問題は満州と朝鮮である。それ故に米国は、理由の如何に拘らず、日本の敵意を挑発し、また如何に軽微であろうとも日本の利益を脅威する如き行動を決して満州において取らぬよう注意しなければならぬ」

しかしながら、その助言は無視されたのである。アメリカは遅れて中国大陸に進出したこともあり、満州に食指を伸ばしたからである。海軍国家として軍備を増強したアメリカにとっては、日本は目の上のたんこぶであった。ワシントン軍縮会議とロンドン軍縮会議では日本の戦闘艦の数が制限されることになった。そして、昭和七年に日本の後押しで満州国が誕生すると、アメリカは中国に返還することを要求してきた。これまで受け身であった日本が乾坤一擲の勝負に出たのには、そうした背景があったからである。大川はそうした歴史的な経過があったことを、私たちに教えてくれる。

日本人が憧れたインド中国

大アジア主義のベースはインドであり中国であった。大川は謙虚にそのことを認めている。インドについては「仏教は日本に取りて一個の宗教であったのみならず、同時に文化の綜合体であったのであります。即ち印度文化全体が釈尊又は仏教を通じて我国に伝えられ、その仏教の真理は、いろいろなる理論によってに非ず、生活体験によって日本人の魂に浸み込んだのであります。従って仏教徒たると否とを問わず、我々日本人は甚だ多くを釈尊の印度に負うて居るのであります」と断言した。

いかにインドが日本人にとって憧憬の対象であったかに関して、大川は鎌倉初期の華厳宗の僧、京都栂尾《とがのお》の明恵上人に言及している。インドに渡って仏蹟を巡礼したいとの思いが募って、その道筋を丹念に調べたのだった。

明恵上人が「支那の都の長安から印度の王舎城（マガダ国の首都）までは八千三百三十里、日に八里ずつ歩けば千日、日に五里ずつ歩けば、正月元旦に長安を出発して五年目の六月十日の午時刻（昼十二時前後二時間頃）に辿り着く、天竺《てんじく》は仏の生国なり、恋慕の思抑え難きより、遊意をなして之を計る、あはれあはれ参らばや」と書いたのを紹介し、「若し明恵上人が、今日蘇って印度の現状を見、印度がイギリスの鉄鎖に縛られ、其の民は牛馬の如く虐げられて居るのを見たならば、血涙を流して悲しみ、火の如く激しく憤るであろうと存じます」とまで嘆いたのである。

大川にとっては、それは中国との関係においても同じであった。「我々は支那文明の精華と申すべき孔孟の教えを支那から学んだのであります。我々は、総ての生活の基礎を倫理に置かなければならぬこと、即ち人格の上に置かなければならぬという高貴なる精神を、極めて明晰なる理論を以て儒教から学んだのであります」と断言した。とくに徳川三百年はそうであったことを力説したのである。「多くの支那人が日本に来て、彼等の血が日本人の血に混じって居ります」との見解も示し、その例として中国の大内氏、薩摩の島津氏を挙げている。大川は支那あっての日本であることを力説したのだ。

「我等の先祖は日本の歴史を学ぶと同じ程度の親しみを以て支那の歴史を学び、日本の英雄豪傑を崇拝すると同じ程度の熱心を以て支那の英雄豪傑を崇拝したのであります。諸葛孔明の出師表《すいしのひょう》は、どれほど日本人に忠義の心を鼓舞したか知れず、岳飛の誠忠がどれほど士気を鼓舞したか測り知れぬほどであります」「支那の詩歌文学に現れて来る山や川は自分の故郷の地名の如く日本人の耳に響いたのであります」

イギリスに侵略されたことで、日本人の魂の原郷である支那が破壊され、さらにそこに、共産主義が暗い影を落としている。そして、蔣介石の国民党政府はアメリカとイギリスの支援を受けて。日本に歯向かってきている。理想と現実との落差に大川は危機感を抱いたのである。それを打開するには、日本人の魂が支那やインドを含む三国魂としてあることを踏まえて「我等の心裡に潜む此の三国を具体化し客観化して一個の秩序たらしめるための戦が、即ち大東亜戦でありますと」と訴えるに至ったのである。そこに流れる楽観論は、ある種の信仰に近いものがあり、絶望の中に無理に希望を見い出さんとしたのである。

「支那民族はやがて其の非を覚るであろう。印度民族はやがて解放されるであろう。正しき支那と蘇れる印度とが、日本と相結んで東洋の新秩序を実現するまで、如何に大いなる困難があろうとも、我等は戦いぬかねばなりませぬ。いと貴きものは、いと高き価を払わずば決して得られないのであります」。

アジアを取り戻すために

大川がA級戦犯となったのは『米英東亜侵略史』によるところが大きいのではないだろうか。アメリカやイギリスよりもインドや支那に親近感を覚え、不甲斐なきアジアを覚醒させるために日本が決起すべきとの論理は、それなりの説得力がある。あの当時のアジアの多くは独立を達成しておらず、支那もまた外国勢力の影響下にあった。ただし、日本の失敗は日本自身が変わることを怠ったことである。財閥は手つかずのままであり、農地は一部の者たちに集中していた。大日本帝国の臣民としての日本軍兵士は、後ろ髪惹かれる思いがあったのである。そこに向かっての漸進的な改革が行われていたとしても、支那やインドの見本となる国家体制とは縁遠かった。大川の立場が衝撃的であるのは、インドや中国に重きを置いていることである。その精神的な継承者として、日本を位置付けているのである。敗戦以降の日本はアメリカの文化的な侵略の場となり、アジアは日本にとって縁遠い、異質な世界となってしまった。中国が共産化し、韓国や北朝鮮が反日的な傾向を強めたことで、今の日本は脱アジアの傾向を強めている。印度や中国との絆を確認しようとする者は、少数派に転落してしまった。現在の中国や朝鮮半島を見てしまうからではないだろうか。

私たちはもう一度大川の立場を検証すべきではないだろうか。忘れられたアジアが日本に息づいているとすれば、インドや支那に学んだ歴史を思い出させなくてはならない。『覇道』から『王道』への転換を迫らなくてはならない。それは安全保障上のこととして処理されるべきではなく、文明史的なアプローチが行われるべきだろう。「日本が変わることなくしてアジアは変わらない、アジアが変わることなくして日本は変わらない」との大川の主張を噛みしめるべきなのである。大川の『米英東亜侵略史』は日本がアメリカとの戦争を遂行する上でのプロパガンダとなってしまったが、もっとラディカルな内容を含んでいるのであり、大川周明は北一輝と並ぶ革命家なのである。

第四章　日本のナショナリズムと沈黙する民——吉本隆明、江藤淳、葦津珍彦

戦後の日本の歩みといっても、かすかに私の記憶としてあるのは六十年反安保闘争からである。あのときの日本はとんでもない大騒ぎで、それが子供の遊びにまで波及して「アンポハンタイ」「アンポハンタイ」と練り歩いては、親から笑われたものだった。

会津地方の片田舎からも、国会議事堂を取り巻くデモに参加するために、わざわざ臨時のバスが増発され、それを子供ながらに遠くから見ていた。社会党、共産党や労働組合の名前が入った赤旗が林立し、風にたなびいていたのが、今も鮮やかに目に焼き付いている。ピークに達した昭和三十五年五月十四日、学生労働者らのデモ参加者は十万人を超えたともいわれる。

そこに右翼の十七歳の少年による浅沼稲次郎の刺殺である。白黒のテレビしかなかった時代であったが、何度も繰り返しその場面が放送されたこともあり、鮮烈な印象が残っている。白昼の衆人監視のなかでのテロであった。

岸内閣の後を引き継いだ池田内閣が、国民に信を問いたいとして解散総選挙が行われる段取りになっていた。それを受けて自民、民社、社会の三党首による立会演説会が十月十二日、東京の

日比谷公会堂で開催され、そこでの演説の最中に社会党委員長の浅沼が凶刃に倒れたのだった。少年は現場で取り押さえられたが、十一月二日に東京少年鑑別所で自ら首を吊って命を絶ったのである。

日本が高度経済成長に突入する前であり、まだまだ誰もが貧しかった。それから昭和三十九年に東京オリンピックが行われ、その直前に私は祖父母に連れられて上京した。小学三年生であった。東北新幹線は開通しておらず、会津若松から上野まで大変な時間がかかった。会津若松から郡山までは鈍行であり、そこから急行に乗った覚えがある。東京は活気に満ちていた。いたるところで工事が急ピッチで進められていた。

政治的な関心を抱くようになったのは、中学生あたりからで、マスコミも七十年に何かが起きそうだといった報道をしていた。七十年の日米安保条約の改定が高校三年生だったために、私が在学していた会津高校でも、関西ブンドの連中がいて、社弁クラブを握っていた。マルクスをかじったことがなくても、反体制的なことを口にするのが流行であった。

どちらかと言えば落ちこぼれで、ろくに勉強もしなかった私は法政大学に入学した。そこでビックリしたのは、学生が利用するプレハブの建物の外壁に「昭和維新の歌」の「汨羅《べきら》の淵に波騒ぎ　巫山《ふざん》の雲は乱れ飛ぶ」の文句が落書きされていたことだ。左右のイデオロギーでは割り切れない、日本人の隠された情念を垣間見た思いがした。やり場のない憤りがまずあり、それが党派間の闘争をエスカレートさせることになったのではなかろうか。内ゲバは何度も目の当たりにしたが、虫けらのように殺された者たちのことを思うと、言葉につまってならない。

大衆に依拠した吉本隆明

昭和三十五年からの想い出は、あくまでも私の個人的な体験でしかない。視野が狭く断片的であるのは否定できない。それでもあえて触れておきたいのは、そうしたイメージを抜きにしては、戦後の日本のナショナリズムを語ることができないからだ。資料を集めて手際よく料理するのは、真実に迫ることとは別である。思い起こさずにはいられない、何かがなければ、あえて文章にする必要はないのである。

戦後の日本のナショナリズムを考える上で、絶対に忘れてはならないのは、六〇年反安保闘争の盛り上がりが何であったかだ。その深層に迫るにあたって、私が注目したのは、左翼では吉本隆明であり、右翼では葦津珍彦《あしづうずひこ》であった。どちらかに軍配を上げるという観点からでなく、ナショナリズムのダイナミズムを政治で実現するために、二人ともアジテーターとして大きな役割を果たしたからだ。

吉本は言葉から吟味して、土俗的革命のエネルギーを引き出そうとした。私の手元にある『自立の思想的拠点』は、昭和四十一年十一月に発行されたもので、まだ高校生であった私は「わが国では、思想の尖端をゆく言葉は短命で移ろいやすい、それを補償するように、なかなか死滅しない土俗的な言葉がひそんでいる」とのフレーズだけで、大変な衝撃を受けた。そこで語られているのは、アメリカ流の民主主義やロシア型共産主義ではなく、日本人のおどろおどろしい民族的な情念に根差していたからだ。

すでにその当時からロシア型共産主義は落ち目であった。柳田国男や北一輝が見直されつつあった。吉本が俄然脚光を浴びることになったのは、そうした思想的な潮流とは無縁ではない。もう一つ重要なのは、丸山眞男に代表される戦後の進歩的文化人を痛烈に批判した点だ。

丸山は『現代政治の思想と行動』において日本の大衆を悪者にしたからである。大東亜戦争に協力した無智蒙昧な民と決め付けたのだ。偽物のインテリとして小工場主、町工場の親方、土木請負業者、小売商店の店主、大工棟梁、小地主、乃至自作農上層、学校教員、殊に小学校・青年学校の教員、村役場の吏員・役員、その他一般の下級官吏、僧侶、神官を名指しした。さらに、国立大学の有名なところ以外は大学として認めなかった。

葦津も吉本と同じであった。右翼の側から「神国意識を高めよ　土着大衆と知識人の開き」(『昭和史を生きて』)を問題にした。文明開化の頃から知識人の主流は「西欧即文明、日本即未開後進」と決め付けていたのを問題視した。加藤弘之、西周、森有礼らが民撰議院に反対したのは、葦津によれば「かれらは早期に民権政治をおこなうと、日本土着の士族や、農民の未開の感情で、西欧文明開化の道を逆行させるだろうとおそれた」からであった。

葦津は、そのときを境にして「日本人社会の学歴偏重主義と、官尊民卑の度しがたい気風とが根づよいものとなった。これは端的に言えば、白人的センスとロジックを有する『少数知識人の民権』は良しとするが、国民の大多数を占める『土着大衆の民権』は、無視するということだ」と書いたのである。戦後の民主化とは、葦津にとってはその徹底化にほかならなかった。

吉本は六〇年安保騒動で自らデモに参加し、6・15事件の裁判では自ら弁護人を買って出た。吉本自身も昭和三十五年六月十六日、国会構内に乱入したとして、住居侵入で逮捕されているが、起訴対象にならなかった。それもあって「思想的弁護論——六・一五事件公判について」の文章を世に出したのである。吉本の指摘は鋭いものがある。法に触れる行為が認められるかどうかのラディカルな問題提起であった。

吉本は丸山らを痛烈に皮肉る。「『進歩的文化人』によれば、これらの大衆は未熟な啓蒙すべき存在であり、憲法感覚とやらを身につけねばならず、憲法＝法治国家を守らねばならないとされるのである」、「しかし、わたしは、大衆の大部分が現行の憲法＝法国家の幻想性に達しないということは、そのまま美点に転化しうるものであり、『進歩的文化人』を棄揚する契機を手にもっていることも意味しているとかんがえる」

そこで吉本が拠り所とするのは、尖端の思想が大衆の運動によって乗り越えられるという、ある種の期待である。それはアナーキズムに近く、民族的な情念に変革のエネルギーを見出そうとしたのである。

暴力を否定し、綺麗ごとしか口にしない者たちに向かって、吉本は「当日、すべての進歩勢力は、六・一五国会構内抗議集会に集約された安保闘争の思想を非難し、これに背を向けて流れ去った。しかし、嗤われたのはかれらの貧弱な思想である。かれらは、どんな豊かな思想も現実に還元するときは、ありふれた行為事実の断片によってしか表現されないという思想の本質にたいする無智をさらけだしたのである」と怒りを露わにした。それもまた、高校生であった私の心を揺さぶらずにはおかなかった。

沈黙せる民を信じた葦津珍彦

葦津もまた「右翼ハイ・ティーン」という一文で問題提起をした。少年のテロに恐れをなした社会党が「テロ防止の死刑法案」を準備した。それをやり玉に挙げたのである。その法律においては、テロを擁護しようものなら、懲役三年以上で死刑にいたる重刑にしようとした。しかも、対象を右翼に絞ろうとした。葦津はそれが看過できなかったのである。

占領軍は右翼を当然のごとく目の敵にした。公の職からは約二十万人が追放された。活動が再開したのは講和成立後であった。だが、それ以降中心になったのは、従来の右翼の関係者ではなく、ハイ・ティーンであった。葦津はその理由として戦後の日教組教育に対する少年の反発を挙げている。「いまの高校生は、大学志望者の著しい増加のために、試験準備に忙殺されるものの数が多く、そこに思想問題に深入りする余裕のないものが多い。それにもかかわらず、高校生の間で教師への不信、日教組的公式イデオロギーへの不信の念は、全国的に燃えひろがっている。学校の教師たちは、民主的平和教育をするのだという。それはいいとしても、かれらは、日清日露の役についても、大東亜戦争についても、日本帝国の行動を犯罪と断じ、日本をあたかも敵国のように説明する。日本帝国のために働き、戦った日本人は、犯罪人でなければ、あわれなる愚か者にすぎなかったというのだ」(『土民のことば』)。

インターネットが普及していなかった時代においては、葦津的な言説に接することは難しかった。今の世にあっては、自由にそうした情報が手に入る。日教組的な教育のほころびが出てきて当然なのである。現在の若者の意識や行動を予測していたのが葦津であった。そして、吉本と同様に暴力を否定しなかった。葦津は政治的な信条の違いがあれば、必然的に暴力化するのを見抜いていたからだ。

国家の成り立ちについて葦津は「国家の権力とは、合法的な暴力にほかならない。国家の裁判所も警察も、その本質は合法的暴力機関としての性格を固有する。暴力なしには、国家は存立しえないし政治もまたありえない」(同)と断言した。

ただし、葦津においては、それと同時に暴力の横行を阻止するために、「国民的信条が一つの安定的一致点を見出すならば、暴力発動の余地はなく、議会のルールごときは労せずして確保せられるであろう」(同)と述べるのも忘れなかった。

葦津には多くの日本人への絶対的な確信があった。揺るがぬ自信があった。「二千年の伝統的文明の成果は、二十年や三十年のさかしらな教育よりも、はるかに根強い力と英知とをもって『沈黙せる民族大衆』の心理の中に、その生命を保ちつづけている。この『沈黙せる民族大衆』の意思は、占領権力によって変質された日本のマスコミによって全く黙殺されており、組織されないままである。だがそれは依然として大きな底流として現存している。精鋭なる前衛が政治の力学を学び取り、この大きな日本民族の底流と結びつくとき、ポツダム憲法はなだれのごとくくずれさるであろう」(『近代民主主義の終末』)と言い切ることができたのだ。

あえてこの二人を取り上げたのは、戦後民主主義の神話が早くから崩れていたのを、再確認しておきたいからである。それも理解することなく、ただただ「平和」とか「民主主義」とかをスローガンにするのはあまりにも愚かである。それを絶対視する議論は、場当たり的な保守や、憲法九条を利用するだけのエセ左翼の方便でしかないのである。

国家主権にこだわった中野重治と池田勇人

戦後の一時期、日本共産党の幹部の一人であった中野重治は『五勺の酒』で「あれが議会に出た朝、それとも前の日だったか、あの下書きは日本人が書いたものだと連合軍総司令部が発表して新聞に出た。日本の憲法を日本人がつくるのにその下書きは日本人が書いたのだと外国人からわざわざことわって発表してもらわなければならぬほどなんと恥さらしの自国政府を日本国民が黙認していることだろう」と書いた部分が全て削除された。

アメリカを中心にした占領軍の検閲に引っ掛かったのである。日本の保守政権がアメリカの言いなりになって、新憲法を押し戴いていたのに、中野は左翼陣営から正論を吐いた。現在の九条を守る会のメンバーの多くが、日本共産党の関係者であるのは、歴史を学ぶ気がないからだろう。時代の移り変わりとともに、何でもありなのが政治なのである。

では自民党の歴代政権が対米従属一辺倒であったかと言うと、それも一概には言えない。六十年反安保闘争の後に首相になった池田勇人は、リベラルな勢力からはかなり抵抗があったようだ。沢木耕太郎の『危機の宰相』を読むとそれが分かる。クレームを付けたのは、朝日新聞であった。

朝日新聞の論説主幹であった笠信太郎は、わざわざ池田側近の宮沢喜一を呼びつけて「いよいよ総裁選だ。このように社会が荒れたあとは、治者と被治者といった対立をなくすことが必要だと思う。池田さんのような荒武者は、仕事もできるかもしれないが、対立を深める恐れがある。少々仕事はできなくてもいいから、性格的に穏健な人に総裁を譲ってくれないだろうか」と切り出されたのだった。

当時の宏池会はそれに耳を貸さなかったから、池田が首相になって日本独自の大胆な経済政策を推し進めたのである。池田という政治家は日本の高度経済成長を成し遂げたことから、日本派ではないと勘違いされているが、敗戦のときに池田は皇居にまで出かけて、天皇陛下に申し訳ないと頭を垂れたのである。

しかし、左右の両陣営とも占領軍の支配に抗するすべはなかった。既成政党に属さない吉本や葦津が言論において攻撃するしかなかった。憲法制定の経過は不問にされ、それが物神化されるにいたったのである。

心情レベルでの大衆ナショナリズム

吉本や葦津のように声高に批判しなくても、敗戦で失われた日本を問題にしたのが江藤淳である。すぐには政治とは結びつかなくても、声なき声の無意識の世界を、執拗に言葉にしようとした。安田祥子・由紀さおり姉妹の「赤蜻蛉」を聞いて、江藤は「私の眼の前には、もうとうの昔になくなってしまった戸山ケ原の風景がひろがった。山ノ手線の線路と中央線の線路に囲まれた広い戸山ケ原、その山手線の線路の向こうには三角山という高地があって、そのまた向こうには陸軍の射撃場があった。私の赤とんぼは、あの戸山ケ原を翔んでいたのだ」(『人と心と言葉』)と回想している。

漠然とながらも、江藤にとっての帰る場所がどこであるか、日本人にとっての帰る場所がどこであるかを語っている。「その幻の風景に見入っている私は、一体還暦を過ぎた今の私なのか、それともまた小学校にも上がっていないあの頃の私なのか、どっちなのだろうと訝っているうちに、姉妹のうちのどちらかの声で、帰ろう、帰ろう、といっているのが聴えた。そうだ、帰らなければならない、その時が来たのだ」とまで書いている。

それはまた、吉本における自立すべき大衆のナショナリズムの原像と重なる。米軍の砂川基地反対闘争で「赤蜻蛉」が歌われたのと通じる。吉本は『自立の思想的拠点』で大正十年に世に出たその歌について、独自の見解を述べている。国家的目標を喪失してしまった大正という時代は、ある意味で大衆のナショナリズムと合致していた。吉本についついこだわってしまうのは、大衆の心情のレベルに自らを置いているからだ。日本のナショナリズムを論じるにあたって、絶対に無視できないのは、なぜ「赤蜻蛉」であったかということだ。

大正期の大衆ナショナリズムについて吉本は「政治性としての『御国の為』意識と、社会性としての『身を立て名を挙げ』意識の主題を失った。おそらくこのことは、支配層において、国権意識と大衆を統合しうるという意識と、腕一本で支配層にもなりうるものであるという資本制意識によって、大衆を統合しうるということが、潜在的には、信じられなくなったことの象徴であり、おなじように、大衆にとってそれが信じられなくなったということを象徴している」と述べるとともに、「このようにして、眼に見える形で、政治あるいは社会的な主題が喪失したことは、大正期の大衆『ナショナリズム』の表現の特徴である」と分析した。

そして、吉本は「デモクラシーや移植マルクス主義は、かつて大衆『ナショナリズム』」の核をとらえたことはないのである」とまで言い切ったのである。吉本のそうした見方は、大衆としての自らを確認する作業であるとともに、詩人特有の感性に裏打ちされていた。「すでに現実には一部しか残っていないが、完全にうしなわれてしまった過去の（いわば明治典型期の）、農村、家庭、人間の関係の分離などの情景を、大正期の感性でとらえることに移行した。そして、これは幼児体験の一こまと結びつかざるをえなかった」からだ。

吉本は北原白秋、西条八十などの歌曲に出てくる「切れる」、「棄てる」、「忘れる」、「絶えはてる」、「泣く」、「かえる」という言葉にこだわるのである。昭和になると、その大衆の心情的な感性が実感性を失い、より「概念的な一般性」にまで抽象化された。そこで主導的な役割を果たしたのがインテリであり、「農村の窮乏化と圧迫と、都市における大衆の生活の不安定とは、知識層によって、ウルトラ＝ナショナリズムとして思想化され、それは満州事変いらいの戦争への突入と、一連の右翼による直接行動の事件の思想的な支柱を形成したのである」とみたのだ。

大筋においてそれは的を射ているが、日本での農業従事者の比率は、昭和三十五年までは全就業者の五〇％以上を占めていたが、それが平成二十六年には就業人口の三％を維持するのも困難になってきている。明治から大正、そして昭和という括りではなく、敗戦以降の日本社会の変貌ぶりに目を向けたのが江藤であった。それはアメリカ流の民主主義の徹底とダブったのではないだろうか。農業を中心とした伝統的社会から工業化社会にテイクオフすることで、中山伊知郎などは「工業の歴史は民主主義の歴史」（『日本の近代化』）と持ち上げたのに対して、あえてそこで失われたものにこだわったのである。

吉本が好んで用いるウルトラ＝ナショナリズムが崩壊してから、それをリードしたインテリではなく、それに振り回された大衆自身も、自らの足場を見失ったのだ。吉本とは違った意味で、江藤淳は大衆の心情を汲み取ろうとしたのである。そこで大事なのは、江藤は最後までイデオロギーには与しなかったことだ。その観点からすれば、政治的なレベルでは江藤と葦津の距離よりも、吉本と葦津の距離の方が近いのである。

日本の物語の復権を主張した江藤淳

本来のナショナリズムの射程を考慮すれば、思想的な意味でよりラディカルなのが江藤淳である。昭和二十年八月十五日を境にして、日本は日本でなくなった。敗戦によって日本は一方的に悪者にされ、国のために身を捧げた者たちは、軍国主義の犠牲者とされた。これに疑問を呈したのが江藤淳であった。「いかなる民族も、滅亡し解体してしまった場合をのぞいて、他の民族の物語を自らの物語に替えようとはしなかった」(『落葉の掃き寄せ——敗戦・占領・検閲と文学』)。昭和五十六年の段階ですでに江藤は、戦後レジームからの脱却を主張していた。

今は亡き坂本多加雄も平成八年に世に問うた『知識人大正・昭和精神史断章』で江藤のその文章に触れながら「日本は、いつ自らの物語を語り始めるのか」と問題提起をした。最近になって「日本を取り戻す」というのが政治的スローガンになってきたのも、アメリカから押しつけられた物語に、日本人が満足することはできないからである。

巧妙に仕組まれた言論統制で、過去との断絶を強いられた日本人は、ようやくここにきて歴史を見直そうとしている。奪い去られてしまった自分たちの物語を、日本人自身が語り始めるべき時代が到来したのである。いうまでもなくそれを口にするには勇気がいる。諸外国からの反発を招くのも確かである。中国や韓国ばかりでなく、アメリカまでも遺憾の意を表明している。それでもなお日本人は自らの物語にこだわるべきだろう。破壊された日本を真の意味で再建するためには、それを避けては通れないのである。

江藤が『崩壊からの創造』を世に出したのは昭和四十四年のことであった。江藤は崩れ去っていく世界を、望ましいと考えたのである。「本をつくっているあいだに、大学を中心にして、時代は急速に崩壊の兆候を示しはじめた。昨年の秋に国の外に出てみると、世界もまたいたるところで崩壊しつつあるように見えた。私はもっと崩れろ、もっと崩れろ、念じずにはいられない。なぜなら私はこの瞬間を待っていたからであり、それとともにすべての偽善と虚飾が洗い流されるのを待っているからである。自然の律動はもろもろの仮構が崩れ去ったあとでなければよみがえらない。そう思って現状を見ていると、すべてはまず望ましい方向に徐々に推移しつつあるように見える」

戦後の日本の言論は、問答無用で左右の暴力を封じ込めた。それと同時に、「平和」とか「民主主義」とかの言葉を普及させた。その根本を問うことなく、そこで失われたものの大きさを顧みることもなく、希望が全て実現するかのようなデマゴギーが、言論空間を支配したのである。

誰しもに訪れる死は隅に追いやられ、見える世界が実在であり、死者の眼差しは否定され、その素朴な信仰も闇に葬られてしまったのだ。

しかし、六〇年と七〇年の二度にわたって、大衆運動があれだけの盛り上がりを見せたのは、底流にナショナリズムがあったからだ。吉本の言葉を借りるまでもなく、心情レベルでの大衆ナショナリズムは、そのはけ口を反米闘争に見出したのである。吉本が共産主義者同盟の同伴者に甘んじたのは、その行方を見極めたかったからだろう。江藤もまた「自然の律動はもろもろの仮構が崩れ去ったあとでなければよみがえらない」との思いを抱いていたのである。

ナショナリズムが極左から行動する保守に

「十一月決戦」で首都反乱を呼び掛け、七〇年反安保闘争でもっとも過激であった中核派は、スローガンに「沖縄奪還」を掲げた。それを実現させるには、首都圏に騒乱を引き起こすしかないと信じていたのである。それはまさしく攘夷であった。政治力学的にみて、それで救われたのが当時の自民党政権であった。アメリカから譲歩を引き出すには、その革命的な暴力を利用するしかなかったからだ。

それと比べると、当時の右翼はエネルギーを欠いていた。三島由紀夫が七〇年安保騒動当時の右翼に嫌悪感を示し、林房雄との対談である「現代における右翼と左翼」(『尚武の心』収録)で、

「右翼が左翼に戦後取られたものは三つあるんですね。一つはナショナリズム、もう一つは反体制、もう一つは反資本主義、三つ取られたでしょう」と嘆き、その復活の必要性について述べていた。政治的な力学としては、対米追随は仕方がないとしても、それを許さない情念があるのを、三島は見逃さなかったのである。

保守派に位置づけられる葦津のスタンスも、大衆の側に自らを置いた。啓蒙的な進歩的文化人がリードした、政治運動の敗北を早くから見抜いていた。若い頃はアナーキストに共鳴した葦津は、無定形な大衆のエネルギーが、いつの日か保守にぶれるのを確信していた。三島のように焦りはしなかったが、吉本とは対極にありながらも、秘められた大衆のエネルギーに信頼をしていたのである。

アジテーターではなかった江藤淳は、二人の苛立ちを文学者特有の喪失感において語ったのである。そして、結論として江藤が言いたかったのは、廃墟に立って再建する勇気である。令和の世においても権威はどこにも見当たらない。左右ともに茫然自失であり、今後の展望を拓けないでいる。

そんななかで日本は新たな危機を迎えている。中国の覇権主義はとどまるところを知らない。ナショナリズムは右翼の側に満ち溢れている。社会主義の壮大な実験が失敗したわけだから、左翼が大衆ナショナリズムの受け皿にならなくなったのだ。行動する保守が登場したのは、そうした時代背景とも無縁ではないだろう。しかし、それも政治力学上の仇花に終わる可能性が大である。

ナショナリズムが新たな岐路に

左右という色分けができないような混乱の中で、あえて荒涼たる風景の前に立つべきではないだろうか。真摯にそれと向かい合おうとしたのが、池田浩士であった。エルンスト・ブロッホの『この時代の遺産』を翻訳。「遺産・空洞・占拠――解説にかえて」で、池田は社会主義が目指した希望に執着しているが、その声はあくまでも悲観的である。「第三帝国ばかりか、国家という形態をとった社会主義の実践もまた崩壊し、残存する社会主義国のほとんどが資本主義体制への移行をなしつつある現在、もちろん、それによって抑圧・差別の廃絶や自由と自主の実現が成就されたわけではいささかもない。実現されるべき夢は、いまこそ『まだ意識されないもの』として、生き続けている。そして、同じことには、『第三帝国』を可能ならしめた要因が、『もはや意識されないもの』として、実現を待っている」と危機感を露わにした。

池田が言おうとしたのは、日本的には「土俗性」という言葉がふさわしいが、二十世紀の表現主義芸術は「資本主義的発展によって取り残された古い民衆的な表現から、決定的な影響を受けて成立した」のである。その代表がピカソであったという。ブロッホは「新しいものへと機能転化をとげていくべき古いもの、この時代が受けとるべき遺産を、その使い道を思案しながら点検する」ことを奨励する。「すでにそれらは、いわば人間たちに取り憑いて、現実に対する無意識の違和感や憤激となって爆発しつつある。資本主義の合理化によって社会と人間の内部のいたるところに生じた空洞が、これらの爆発を吸収する。ナチズムによって相続されるよりまえに、その空洞を占拠する作業でもなければならないのだろう」とのスタンスなのである。

池田の見方は大筋においてあたっているが、もともとの表現主義の出発は、大衆を一つの方向に動員するための手段であった。その先鞭をつけたのは、前衛党を前面に押し出すロシア型共産主義であった。そっくりやり方を真似たのがナチズムなのである。より効果的にするために「古い民衆的な表現」を付け足したのであり、それが大変な力を発揮することになったのだ。

戦後の日本のナショナリズムの爆発も、無意識の世界で「土俗性」が働いたのは事実である。六〇年反安保闘争や七〇年反安保闘争は左翼の側がそれをリードした。しかしながら、平成の世になって事態は変わった。保守の側がそれを奪い返しつつあるのだ。ネットの世界での保守的な傾向も、その影響下にある。

忘れられた日本は、まだまだ日本人の無意識の世界にうごめいている。農業従事者の減少にともなって、農本主義の基盤は失われたとしても、無意識の世界に息づいているやり場のない鬱積したエネルギーは、いつの日か爆発する可能性がある。

そこに目を向けたのが吉本であり葦津であった。あえてイデオロギーを振りかざさなかった江藤も、最終的にはそのエネルギーを認めざるを得なかったのである。日本人の無意識の世界に眠っているマグマが日本の政治を引っ張っていこうとしている。それをどのようにして民主主義のシステムのなかで発散させることが可能か、それともまったく別な世界に踏み出すことになるのか、日本のナショナリズムは重大な岐路にさしかかっているのである。

第五章　保田與重郎の「述志の文学」——草莽浪人の義挙と明治維新

日本浪漫派の保田與重郎にとっての明治維新とは、世界史的な大事件であった。欧米列強の脅威を前に、日本人が日本人であることに覚醒し、アジアで唯一の国家を打ち立てたからである。私が保田の「述志の文学」を知ったのは、彼が世に問うた『日本の文學史』によってであった。そこで保田が表現しようとしたのは、時間を超越する日本人としての叫びである。明治維新の時には、それに呼応するパトスがあったのである。

『日本の文學史』は昭和四十四年から昭和四十六年にかけて『新潮』に連載されたもので、学園紛争が吹き荒れた時代であった。私が保田の本を手にしたのは、まさしくその叫びに共感したからである。教条的なマルクス主義の権威はすでに失墜しており、左右のイデオロギーでは割り切れない新鮮さがあった。あの当時の学生運動は、まったく展望なき戦いであった。それでも多くの若者がその渦中に身を投じたのである。

その頃に桶谷秀昭の『土着と情況』や磯田光一の『比較転向論序説　ロマン主義の精神形態』が世に出ていたこともあり、反体制派の若者にも保田の名前は知られていた。

敗戦によって国家であることを否定された日本の若者は、自分たちの怒りやエネルギーをどこにぶつけていいか分からず、ただやみくもに権力と衝突する以外になかったのである。

それらの若者を極左と一括りにすることはできない。とくに、一部党派の反帝・反スタというスローガンは、若き日の保田が口にした「私はアメリカもソヴェートも一挙に砕破消却するやうな態度を考へることに唯一の文学的立場を思った」(『日本浪漫派の時代』)という主張と大差はないのである。

保田からすれば、アメリカもソヴェートも欲望にもとづく国家でしかなかった。権力の所在が違っているだけである。保田の唱える反近代とは「近代の欲望的目的意識を一挙に放下する」(『同』)ことであった。

さらに、保田自身もあの学生運動にシンパシーを感じていた節がある。イデオロギーではなく、純粋な情念によって奮い立つ者たちの、純粋なエネルギーに期待したのである。保田自身がマルクス主義からの転向組であったことは、磯田光一が『増補比較転向論序説 ロマン主義の精神形態』で言及した大阪高校の在学中に詠んだ歌からも明らかである。

たそがれは労働者と行き交ふ町かへる革命の日も近きかと思ひつゝ

冬そらのソビエット大使館の赤き旗若き女も泪流しおらん

「革命のかぐはしい気分はない」と一見突き放しつつも、保田は「今年の学生運動が、日本社会党と日本共産党とを同時に否定して了ったこと、またさういふ傾向のものが、威張ってゐたといふことは、論理の問題としてでなく、心理の問題と見て、私は興味ふかく思ふ」（『同』）との感想を漏らしていた。保田からすれば、イデオロギーの相違などどうでもよかったのである。保田の歌がそうであったように、純粋な心情の表白に突き動かされたどうかが問題であったのだ。

「述志の文学」と天忠組

天忠組の主謀者として処刑された伴林光平の歌を『日本の文學史』において「述志の文学」の代表作と評したのは、保田が徹底した反近代のラディカリストであったからだ。決起して敗れた五十一歳の光平は、吉野山中で詠んだのが「身を棄てゝ千代は祈らぬ大丈夫もさすがに菊はをりかざしつゝ」であった。

死が目前に迫っているのに、御国を信じ希望を捨てまいとする心意気が感じられる。そこまでの覚悟ができていたのは、光平が風雅の道に通じていたからというのが、保田の解釈であった。「光平の吉野陣中、重陽の日の作である。この日は翁の五十一回誕生日に当ってゐる。菊ををりかざすのは長生の故事によるのである。死士ゆゑに菊にも長寿にも無関心とはいはぬのが、風雅の歴史的感覚である。己は死士たりとも君の為、世の人とともに祈るのである」

さらに、保田は「述志の文学は、かの高須の危路を瀬渡してゆくものの如く思はれ、水上をゆく佳人の幻影とは異り、危くしてひしひしと畏いものが感じられる。しかし足はいつも土を踏んでゐた」と書いたのだった。わずかな人数で、百九十万石の兵力三万五千を向こうに回し、一ヶ月あまりも戦うことができたのは、しっかりしたバックボーンがあったからだ。「光平は士俗の民心と「志を述べる」というのは、かなりの教養の持ち主でなければ難しいが、「光平は士俗の民心とそのくらしの気持を、あくまでもかなしむことが出来る人情と、高貴な皇朝の風雅にかなった、こまやかな文学を身につけてゐた」のである。

古からの大和心にもとづく情念の爆発が「天忠組」であった。光平が歌人でなかったなら、無謀とも思える決起はあり得なかっただろう。しかし、それは無駄ではなかった。保田は「明治維新とアジアの革命」においても、文久三年（一八六三）八月の「天忠組の挙兵こそ、一挙にして明治維新を決定するものであった」とまで書いたのである。

『日本の文學史』に流れるトーンは、声高に語るようなプロパガンダではなかった。庶民に支えられた力強さと、精神の高遇さが一体となっていたのである。

「日本の自然（オノズカラ）の時代へ、文学の頂上は移ってゐたのである。光平が維新第一の大歌人であったのは、庶民のくらしのこころ身につけ、それがそのまま精神の高遇さに通じてゐた。しかし考へてみれば、我国では、庶民とはさういふ存在だったかとも思ふ」

天忠組は郷士の志士の身分で、士分としての資格がなかったにもかかわらず、立派に死んでみせた。それが明治維新のきっかけになったのは確かである。

影山正治は昭和十二年に刊行した『明治維新と天忠組』の序文において、なぜ「天誅組」ではなく「天忠組」でなければならないかについて触れている。影山の『日本民族派の運動――民族派文学の系譜』でも言及されているが、保田が力説したかったのは、まさしくその点なのである。「天忠組のことは天誅組とも誌し、〈天誅〉の語は斬姦の行動として、この少し以前京洛をおほうた。天忠組の記録の一なる半田門吉の『大和日記』には〈天忠組〉と誌され、光平は〈天忠組〉としてゐて、今日ではこのしるし方をする人が多い。又その方がよいと私は考える」（評註『南山踏雲録』）

保田は「天朝に純忠を尽くさんとする義団」であることにこだわったのである。幕末期にあって、テロで相手を殺害するにあたって、決まって尊攘浪士は「天誅」という言葉を口にした。「天忠組」は人を殺すことが目的ではなく、大義に殉じたことを強調したかったからだろう。「うけひ」によって吉凶を判断するのは、古来からの日本民族の伝統であった。神の命ずるままに行動することで、普通には考えられないような力を発揮したのである。

保田の評註『南山踏雲録』が世に出たのは昭和十八年のことであったが、表紙の背文字は伴林光平の自筆本の題字が用いられた。

「御維新の実現は、雄藩の周旋のみによらず、京洛の政治勢力の消長の間に行はれた斡旋工作のみならず、つねに時局の底にあって、万古に貫通する道を熱祈してきた草莽の悲願が、最も大なる自然の根底を成した意味について知らねばならぬ。我々は今日も、時局情勢のみをみて、道の貫通するところを忘れることがあってはならぬのである」(『南山踏雲録』例言)

魂の救済へ向かうイロニー

ドイツ・ロマン派の影響を受けた保田は、昭和九年十一月号の「コギト」に掲載された「日本浪漫派広告」で「イロニー」という言葉を使用していている。

「平俗低俗の文學が流行してゐる。日常微温の饒舌は不易の信条を混迷せんとした」の書き出しで始まり、「日本浪漫派は、今日僕らの『時代青春』の歌である。僕ら専《もっぱ》ら青春の高き調べ以外を拒み、昨日の習俗を案ぜず、明日の真諦をめざして滞らぬ。わが時代の青春！　この浪曼的なもの、今日の充満を心情に於て捉へ得るもの、友情である。芸術人の天賦を真に意識し、現状反抗を強ひられし者の集ひである。日本浪漫派はここに自体が一つのイロニーである」と宣言したのである。

橋川文三は『増補日本浪漫派批判序説』のなかで、そのイロニーを俎上に乗せることで、保田の負の部分を究明しようとした。

「日本ロマン派がもっとも過激な存在であったことはいうまでもないとして、それが明治の中期、あるいは後期のロマン主義をある形でふまえながらも、なぜあのように異形の運動として現われたかという特質は、それがイロニーという一種微妙な近代思想のもっともラジカルな最初の体現者であったという点に求められると思うからである」

ノンと言い続けるイロニーは、ドイツであるならば、キリスト教的な救済へと向かうのが必然であるが、それが日本には見当たらないがゆえに、混乱をきたしたと決めつけたのだ。

「ドイツ・ロマン派の極限的な主観性の立場は、その精神的・肉体的破滅の手前で、均しくカトリック教に『転向』することによって救済され、従ってまた、メッテルニヒ＝カトリック反動の文字通りの走狗となるにおわったが、わが日本ロマン派の場合には、なんらそのようなポジティブな、総合的な体系は存在しなかったがために、いささか奇妙な事態が生じたように思われる」

敗戦によって価値が転倒し、軍国少年から一転して民主主義者になった橋川文三は、欧米が絶対であった。「総合的な体系が存在しなかった」という観点から、日本浪漫派を裁いたのである。

橋川が『日本浪漫派批判序説』を執筆したのは、軍国少年であった過去を否定するためであった。あくまでも個人的な事情から出発したのであり、個人的なレベルで保田を批判しなければならなかったのだと思う。新しい時代を生きていくための方便を必要としたからではないだろうか。

橋川はカール・シュミットの『政治的ロマン主義』（大久保和郎訳）を持ち出して、保田を政治学の見地から批判した。「すべての現実的なものはきっかけにすぎない。対象は実体も本質も機能も持たず、ロマン的な空想の戯れがそれをめぐって漂っている具体的な一点でしかない」との論理を借用したのである。

シュミット流の機会原因論で保田を断罪するのは容易ではあるが、それで決着が付かなかったから、橋川は何度も何度も、繰り返して保田や日本のナショナリズムと面と向かうことになったのではないか。

詩人であった大岡信の方が保田の良き理解者であったのは皮肉であった。大岡の『超現実と抒情』における保田與重郎論は他者の追随を許さないものがある。

「歴史の中に悲傷する心情の呼応のみを求め、すべての歴史的連関をいったん解体した上で、それら無差別的、没価値的な荒涼たる事実の堆積の中から、わが心情に遠く呼応する事件だけを抜き出し」といった文章は、保田が傑出した詩人であることを、大岡が認めたことを意味している。

大岡は保田だけを問題にしたわけではなかった。「ぼくはこうした一人の文学者の踏み入ったおどろな道が、決して保田氏ひとりの特殊な道だったとは思えないのである。こうした観念的耽美主義は、日本の知識階級のある部分にとっては、むしろきわめて親しいものだったといえるだろう。保田氏はそれを徹底的に体現してみせたに過ぎない」と指摘することで、日本の知識人に突き付けられた宿命と面と向かったのだ。

大岡は橋川とは逆に、民族の固有性への執着が日本人の根底にもあるのを看取したのである。それがあるからこそ、心情の高ぶりが誘発されるのであり、いかなる思想的枠組みでも把握することは困難で、詩人の言葉が飛び交うことになるのである。

「保田與重郎における、たとえば白鳳天平文化観と、その文化を生んだ古典的日本民族の独自性の歌いあげとの関係を、ドイツ浪漫派におけるカトリック世界への憧れと民族的固有性の強調との関係になぞらえてみることは、ぼくにはさほど無理な試みではないように思える」

芸術至上主義者の保田が日本に回帰したのは、内的な必然性があったからであるが、その限界も大岡は熟知していた。

「結局のところ、保田與重郎の文学はどのような軌跡を描いたのか。失敗に終った現代日本からの逃亡、そして失敗に終った〈日本〉への回帰」と結論付けることで、保田を乗り越えるべき対象としたのである。

しかしながら、傷つきながら悪戦苦闘した保田の功績を認めなかったわけではない。「日本とは何か」との問いかけに対するまともな答えは、未だに日本の知識人は提出していないからである。

「保田氏の『つつましい野望』とは、明治以来のすぐれた精神が繰返し試みては成功するに至らなかったこと、つまり〈世界における日本〉の位置づけという作業を、もう一度自らに課すことにほかならなかった」のであり、「氏は、少なくとも独自な〈血統〉を記述するのに成功した」からである。

天心と鑑三の明治精神

保田が不死鳥のごとく蘇ったのは、アメリカのお仕着せの戦後民主主義の虚妄に対して、日本国民が疑いを持つようになったからである。昭和四十五年前後には反近代ということが文壇を賑わすことになった。

戦後の日本回帰の現象と無縁ではなかったのである。昭和三十年に満を持して書かれた『明治維新とアジアの革命』は、反近代の保田の立場がより鮮明に打ち出されている。

保田は「明治維新のめざした二面の目的は、いづれも道義であり、正義であった」と言い切ったのである。保田によれば革命的な面があったとしても、それは単なる権力の奪取にとどまるものではなかった。「維新の志士たちは、大河決潰の如き国際情勢に対し、隻手《せきしゅ》でこの水勢を支へるといふ大勇猛心」があったからこそ、歴史は前に動いたのである。

大岡が指摘するように「歴史の中に悲傷する心情の呼応」を重視する保田は、歴史の因果関係をなぞっただけではなかった。日本人の心に響く象徴的な出来事を記述することに努め、「道義」と「正義」の志士がいかに戦い、いかに敗れたかを、志士たちへの挽歌として綴ったのである。

『明治維新とアジアの革命』を読み解くうえで参考になるのが、昭和十二年に『文芸』二月号から四月号にかけて執筆し、『戴冠詩人の御一人者』に収録された「明治の精神」である。

明治維新に決起した精神は立派ではあっても、そこで実現された体制は保田の期待を裏切った。天忠組の反逆のパトスを引き継いだのは、アウトローな「さびしい浪人の心」なのである。「明治といふ時代は日露戦争の峠で終った不完全な時代であった。『芸術家の自覚』といふこの近世人文精神の曙たるべきものさへ、官吏の指導下に生まれた。それは後進国の当然の道であった」

「近代市民の人文精神の代りに日本に於ては『さびしい浪人の心』が封建への反逆を描いた。中世の世捨人たる俳諧師ではなく時代の監視者たる浪士、明治の三十年代の市民文化さえその失意の丈夫の心の導いたものである。さらに近代の社会主義革新主義さへ浪士の心に導かれたのである」

文明開化によって、外圧に触発されて、なおさら日本人は日本を問題にしなければならなくなった。保田にとっての明治の精神というのは、岡倉天心と内村鑑三の二人にほかならなかった。天心について保田は「その大昔にあった大いなる世界精神は、かりに万葉と法隆寺を以て象徴すれば、法隆寺を発見し、聖徳太子や光明皇后の意義を見出したことは、まことに新しい明治の精神を興奮させるに充分であった」と評した。

大陸からの外来文化を受け入れつつ、それを日本化して白鳳、天平の文化を築いた先人に学ぼうとしたからである。明治という時代を、そこに重ね合わせようとしたのである。

保田と同じく、天心の詩人の感受性がそうさせたのだった。賢しらな学問によってではなかった。「日本こそ千五百年の間、アジアの太初からの芸術を保護してきた国であった。アジアの芸術は日本の土壌で、初めて精神となってたくはへられたのである。それが天心の見た内部の声であった」のだ。そして、日本人の一部に「さびしい浪人の心」が宿っていたからこそ、欧米に同化せずに、忘れられつつある日本人の「内部の声」を聞くことができたのである。

内村鑑三もまた、保田の同志であった。欧米のキリスト教に帰依しながらも、日本第一を生涯忘れることがなかった。鑑三の一徹な戦闘精神が保田の胸を打ったのである。

「日本人の自由と独立のための外国人宣教師をやっつけると公言した鑑三は、その点で完全に日本の人であり、しかもそれゆゑ完璧に近い世界人であった。将来の日本人は一切人間の崇高とした勇気と精神のために、これらの天才を尊敬するのである」

いつの世にも光芒を放った天才はいた。天才であるがために孤立を強いられ、そこでどれだけ傷ついたかが重要なのである。

明治という時代に背を向けつつ、「さびしき浪人の心」を持ちながら、世界のなかでの日本を正面から論じた天才に保田は魅了されたのだった。天心と鑑三にまで受け継がれた「述志の文学」の意義を確認することは、それに先立つ明治維新の世界的な意義を問い直すことでもある。

江戸時代の文学の力

保田は明治維新の「尊皇攘夷」に言及しながら、イデオロギーとしての経学や神道家の学説ではなく、一般庶民の感情をゆさぶった、徳川時代の文学の影響力に目を向けたのである。保田は私見と断りながらも『明治維新とアジアの革命』で江戸時代における明治維新の予兆を考察している。歴史的な前後のつながりを整理するだけではなく、歴代の将軍や幕府が文学にどう関与したかにスポットをあてたのである。

四代将軍家綱の死によって秀忠の血統は断絶した。館林から江戸城の主となった綱吉は、儒教にもとづく政治制度とともに、江戸城大奥の女権確立のために京都の女を迎えた。「幕府に官僚政治が成立する一方、京阪の商人の江戸入り」となった。これによって江戸の文化文芸が起こる種が撒かれたのである。

京都から来た女性たちは「ことごとに将軍に迫っては里方を加増させ、縁故のある京洛社寺に多くの所附地を寄付せしめた」ということから、「志士浪人学芸家をうけ容れて養ふに足る余裕のいくばくかは、この時に出来た」といわれ、保田は「江戸府内にも文化と流行が初めて生れ、江戸城大奥にも文化と迷信と流行が支配する環境が生まれた」と断言したのである。

綱吉の死後は、甲府より家宣が将軍職を継いだが、新井白石を抜擢することで、朱子学ではなく「本邦の礼法を以て」の政治を行ったが、それだけでは物足りず、近衛家熙《いえひろ》の東下を乞い、鎌倉の龍の口で出迎えた。家熙の江戸滞在中は将軍よりも権威ある者として振る舞ったのである。家宣は実学を好み、幕府の官僚政治を積極的に推し進めたのである。

次いで、八代将軍吉宗の時代になってからは、なおさら実用の学が幅をきかせるようになり、経学の純利の学は顧みられなくなった。江戸で圧迫された者たちは、京都に上ることになった。

その者たちの面倒をみたのが大奥の口ぞえで豊かになった社寺と公卿であった。西の人間である保田は、東と比較して西に勤皇の志士が多かったことを、それで説明しようとしたのである。「すでに学芸への関心の高まってゐた西国諸藩では留学生を江戸に送る代りに京都へ出すことは簡単だったなどの理由もあって、西国諸藩の有志家の青年続々と京都に留学し、江戸退散の学者の慷慨の講筵に参じ、談論を日常とする間に、京都は反幕府の学者青年の巣窟となったのである」。

「述志の文学」が京都や奈良で盛んになったのには、そうした事情があったからである。人間は数量化され、物差しを図れる世界だけに生きているのではない。変革の情念を燃え立たせたのは、打算を突き抜けたパトスなのであり、それを誰よりも知っていたのが日本浪漫派であり、保田なのである。

保田にとっては、契沖や本居宣長らの国学もまた、文学上のエポックであった。尊攘の革命家が誕生するには、それを抜きには語ることはできないのである。

政治や経済にばかり気を取られていては、保田の主張は理解不能である。文学が日本人を奮い立たせたというのは、日本人の内面を掘り下げなければ出てこないからである。「経学や神道家の学説は微々たるものであった。国学の影響のみ甚大だったのは国学は和歌といふものをもって、人心の奥に感情と情緒に訴へゆさぶったからである。しかもこの高次のものにゆさぶるやうな状態をつくったものは、中世以来の連歌俳諧師の功績だった」

日本の短詩型の世界があったからこそ、日本人は感情を揺さぶられ、身を捨てる覚悟ができたのである。あくまでも保田の論の進め方は詩人ならではの語り口である。

芭蕉の『野ざらし紀行』に保田は魅せられたのである。「千里に旅立て、路粮《みちかて》をつゝまず、三《さん》更月下無何《こうげつかかむか》に入ると云《いい》けむ、むかしの杖にすがりて、貞享甲子《ていきょうきのえね》の秋八月江上の破屋をいづる程、風の聲そゞろ寒気也」の書き出しからも、単なる物見遊山ではなく、秘められた覚悟があったのである。

「むかしの杖にすがりて」という言葉からも、日本人の魂の在処を追い求めての旅であったことが推察される。とくに感動的なのは伊勢と後醍醐の御廟での文章と句である。

伊勢を訪ねたのは、江戸在住の俳人がそこに滞在していたからである。「腰間に寸鐵をおびず、襟《えり》に一嚢《いちのう》をかけて、手に十八の珠《たま》を携ふ。僧に似て塵有。俗にゝて髪なし。我僧にあらずといへども、浮屠の属にたぐへて、神前に入事をゆるさず」であったがために、外宮に詣でて一句をつくったのである。

刀も持たず、頭陀袋をぶら下げて、手には数珠をかけていたことで、神前には入れてもらえなかったのである。それでも「御燈處《みあかし》ゝに見えて、また上もなき峯の松風、身にしむ計《ばかり》、ふかき心を起して」の思いは偽りではなかったのである。

みそか月なし千《ち》とせの杉抱《だく》あらし

尊皇の志を述べたのは「山を昇り坂を下るに、秋の日既《すでに》斜になれば、名ある所〲み残して、先後醍醐帝の御廟を拝む」の一文に続く句であった。

御廟年經て忍ぶは何をしのぶ草

保田は『日本の文學史』において、芭蕉が後醍醐帝の御廟を参拝したことに注目した。尊皇の思いがあったがゆえに、芭蕉の句は「それらは一人の作者の優作でなく今にしてはすべての人のものである。ただ一人の作者の作ったもの、見た美しさやあはれではない。劫初から永劫に及ぶ民族の生命を詠嘆して慟哭したやうな作品がならんでゐる」のである。

「古来吉野山を訪れた詩人英雄無数の中で、塔尾陵を拝したのは、芭蕉が嚆矢《こうし》の人であった。森侯の院庄桜樹碑建立より早く、水戸公の湊川楠子碑ははるかに後である。楠子碑建立の志をもっていたといふ益軒も、塔尾御陵参拝を記録としてはのこしてゐない。これも習俗にさからふ芭蕉の精神と、その文学の現はれとも思はれる。慶長この方版を重ねて国民によまれた太平記は、詩人の熱い詩情として、始めて象られたのである。一句一事の問題でない、芭蕉の歌った詩情が、太平記に通ふのである。芭蕉は木曾義仲をかなしみ、その墓の傍らに自身の墓を定めた」

危機に際しての内発的な自己革新力

外圧に抗するためのパトスは、尊皇の歴史によって磨かれ、その発露が攘夷となって爆発したのである。内発的な自己革新力が攘夷となって、外部に向かって突進したのである。

保田もまた、幕末期の東アジアの情勢を踏まえていた。欧米列強の侵略は現実のものであった。阿片戦争が終わったのは天保十三（一八四二）年。清は英国に完膚なきまでに、叩きのめされたのだった。

保田は歴史的な事実を列挙しており、それに対する危機意識が「尊皇攘夷論」に結びついた、との立場なのである。内発があっての外圧であり、外圧があっての内圧なのである。

保田の語り口は、淡々とはしているが、侵略者に対抗するには、それ以外なかったことを教えてくれる。ロマン主義者として勝手な思い込みで歴史を解釈したのではない。

欧米列強は日本侵略の野望を持っていた。口火を切ったのはロシアであった。安永七（一七七八）年に国後。寛政四（一七九二）年の松前に始まって、文化元（一八〇四）年に長崎に来航、文化四（一八〇七）年には北海道に攻め入った。

英国も文化四（一八〇七）年に沖縄を威嚇し、文化五（一八〇八）年に浦賀に、同七年五月には常陸に上陸した。同七月には寶島を攻めたのである。文政八（一八二五）年には陸奥沖で示威行動を繰り広げ、嘉永二（一八四八）年に浦賀に出没した。

アメリカのペリーが沖縄を経て、浦賀に来航したのは嘉永六（一八五三）年であった。同年ロシアのプーチャチンも長崎で幕府に圧力をかけた。安政元（一八五四）年にペリーは再度浦賀に姿を見せ、幕府に直談判をした。英国軍艦が頻繁に長崎にやってくるようになった。

アメリカのハリスが日本の土を踏んだのは安政三（一八五六）年である。長崎にはプーチャチンやイギリスの水師提督シーモアが来訪し、門戸を開放することを要求してきたのである。

まさしく日本は危機的な状況にあったのである。わけもなく「異人」を殺害しようとしたのではなく、追い詰められたための、やむにやまれぬ捨て身の行動であったのだ。

ガンジーに多大な共鳴を覚えた保田は、西洋と東洋との違いを問題にした。それは明治維新から大東亜戦争敗戦までの、日本人の精神的なバックボーンとなった思想であった。

保田はガンジーの有名な言葉を引き合いに出したのである。それは欧米列強に対するアジア人の叫びでもあった。

「彼らは人間としてのあらゆる能力にすぐれてゐた。勇気、才能、努力、知恵、あるひは暴力、陰謀、犯罪に於てすべて、長じてゐた、そしてたゞ道徳と魂だけをもたないのである」（『明治維新とアジアの革命』）

物質文明の西洋にアジアは敗けたかも知れないが、それでも精神的には優越していることを説いたのだ。反近代の旗手であった保田は、近代へのイロニーを徹底させることで、忘れられつつあった日本を救出せんとしたのである。

それは単なるイロニーではなかった。自己の足場を突き崩すことで、日本人としての、共通のベースを明らかにしたのである。欧米列強の侵略をどうして阻止できたかについて、保田は『明治維新とアジアの革命』で持論を展開した。

「わが国を列強の侵略より防いだものは、實にハリスの正しく注目した如く朝廷の存在であり、朝廷を中核とした国家の厳粛な結合であり、即ち明治維新への士気の集結だつた。一つの積極的なものへ、国家が強固に結合してゆく動向、即ち明治維新の自然な形成といふことが、他国人の目をみはらせたのである。それは建国の民族神話を思はせるものがあつた。その強い正気の動きが、侵略者の野望を封じたのである。明治維新はどこにもあつた単純な民族運動やそれに付随する排外運動の一つではなかつたのだ」

あくまでも戊辰戦争が局部的なレベルにとどまったのは、それなりの理由があったのである。「維新」の「維」という文字には「つなぐ」という意味がある。つまり、日本人としての絆を確認したのが明治維新であった。天地をひっくり返す革命とは違うのである。

最後の将軍となった徳川慶喜についても、無能呼ばわりしたのではなかった。権力闘争での勝ち負けよりも、もっと別な価値観が働いたのである。

「王政復古維新成立の最終段階に於て、将軍慶喜が諸外国のむしろ好意的な干渉をも排し、政権を恐々と朝廷に奉還し、ひたすら恭順の意を表した時に、彼の厳粛な態度は、この人の精神をもふくめた維新の士気の天地を貫く激しさを一段と鮮明にした。それは慶喜個人の敗北を意味するあらはれではなく、国家自身の道徳と秩序と正気を最も厳然と示すに足る絶対的な状態であった。それゆゑ維新を最も崇高な国民の神話的意志の国家的国民意志の表現は外国の侵略者の欲望を封じた最大唯一の力であった」

おおらかな敗北主義こそが、保田の理想なのである。それを理解するには、打算的な情勢論では不可能である。慶喜に関して「彼のもっていた国際情勢の認識の正確さにもとづくものであらう」と評価するとともに、日本の独立を維持するには、それ以外の選択肢はなかったというのだ。「慶喜が優柔者の汚名をあへて一身に負うを嫌はず、大事を誤らなかった決断に、感謝の念禁じ難く、大勇猛の聖者の知恵を知り、且つ既往を今に万感去来するものを味ふのであつた」

ともすれば私たちは、保田のことを「政治的ロマン主義者」と決めつけがちである。「建国の民族神話」とか「崇高な国民の神話的意志」との表現に幻惑されるからだ。だが、それはあくまでも言葉の綾でしかなく、保田はリアルな視点を持っていたのである。

ロマン主義の機会原因論的な思想をあてがうことで、保田を説明し尽すことはできない。明治維新が達成されたのは、日本人の心情表白とは無縁ではないのである。場当たり的な心情表白と思えるようなことであっても、実際に政治的な力となって日本を動かしたのである。

幕府が崩壊寸前であったにもかかわらず、それが容易に倒れなかったのは、直接揺さぶりをかける勢力が出現しなかったからである。薩摩や長州であっても、討幕の方向に転換するには時間がかかった。

だからこそ、保田にとっては天忠組が決起したのは「義挙」なのである。仮令《たとえ》敗れたとしても、その精神は受け継がれることになる。詩的な情感に裏打ちされた変革のパトスを重視したのである。

丸山眞男と三島由紀夫の日本文化論

国際化が進行すればするほど、日本人とは何かが問題になる。保田がどこまで成功したかというだけでなく、何を書いたかが大事なのである。保田が昭和十六年に世に問うた『近代の終焉』では、本の良し悪しにまで言及している。

「よい本は巧みに云ってゐるものでなく、大切なことを云ってゐる本のことである。大切なことは、国家や民族の運命を常に念頭においた愛から発言されたものである。大切なことを文章に書くためには、書く以上に沢山のことをつねに思ひ考へてゐなければならぬ。巧みなことをいふものは、概して書かれただけのものであり、非常にかりそめなものである。さうして時代のレトリックといふもの丶巧みさは、十年もすれば陳腐となるが、そこにある至誠の志は、永遠に一貫するものである」

レトリックを散りばめている保田が、自らの文体すらも否定しているのである。個人を超えた力が働いていることを容認したのである。賢しらな論理を拒否した世界があって、そこから発せられた言葉が、人を動かし歴史をつくるとの思いは、よりラディカルであり、他者の追随を許さないものがある。

それを保田は心底信じていたからこそ、『日本の橋』や『戴冠詩人の御一人者』に結晶化されたのである。政治は人間が行うという原理原則を踏まえるならば、歴史を超越した日本人を突き動かす心情に目を向けた功績は大きい。しかし、それは評論という形式を取りながらも、よくよく読めばまさしく詩である。

芭蕉を扱いながらも、句を紹介して解説をするのではなく、自らの詩的な文章に落とし込んでいく手際は見事である。その調べがあまりにも美しかったがために、先の戦争で死を選ぶしかなかった若者たちを鼓舞することになったが、民族の悲しみを歌う慟哭の詩人を、誰が罰することをできるだろう。

危機の時代に直面すると、日本人は一つにまとまる。それが政治の場面でプラスに働くか、マイナスに働くかは、あくまでも結果論でしかない。

いかに日本は敗戦のどん底を味わったとしても、保田自身が書く場所を失うことになったとしても、第二次世界大戦後にアジア・アフリカの国々が次々と独立を達成したのである。日本にとっての明治維新とは、西洋列強に国家として身構えることであった。それが成功したことを立証したのが、日露戦争での日本の勝利であった。それ以降は日本を防衛するということよりも、アジアの解放に力点が置かれるようになった。

明治維新の意義はそこにあり、アジア解放の戦いはその延長線上の出来事であった。しかし、それが最終的に日本に未曾有の悲劇をもたらすことになったのである。

「アジア分割の進行する初期に於て、その侵略に抗す態度として、毅然とした道義的体制をと丶のえる運動であつた。（この時期を普通に『明治維新』とよんでゐる）さうして日本の自立時代の前期に於ては、日本のみがアジアに於て孤立して、唯一自主独立の状態を辛くも守ってゐたのである。かくして明治三十年代に移るころから、漸くアジア各民族の志士が民族独立をはかり、維新精神を純粋にうけついだわが在野党が、これと結び、これを援け、このアジア革命時代の中心となるのである」（『明治維新とアジアの革命』）

明治維新の精神は、日本だけにとどまらずに、アジアの独立運動をバックアップすることになったのである。明治政府は欧米を目標にした富国強兵に全力を傾けたが、それとは相容れない在野党や大陸浪人は、アジアにこだわり続けたのだった。

維新の精神を正統に受け継いだ者たちは、あくまでも「さびしい浪人の心」の持ち主であった。

大義は日本にあったとしても、現実に政治に携わったのは、時の権力者であった。近代化が進むとともに、欧米的な覇道の精神が支配するようになった。先の戦争に日本の国家エゴがなかったかと言えば、それは嘘になるだろう。

「明治の富国強兵政策は、わが国を『近代』の一員とし、『近代』の思想と体制の下におかなければならぬとした。即ちアジアとその道徳を主張する維新の精神の一面で、近代世界における自衛法として、西洋近代に追従することが必要かくべからざる方法であった。この矛盾は、やがて大東亜戦争の悲劇因をなすのである」(同)

諸手を挙げて保田は国策に賛成したのではなかった。二面性があることを、早い段階から見抜いていたのである。それでも日露戦争までは、日本の大義は明確であった。日英同盟を結んだことも、仕方がない選択であった。江戸時代の末期から、ロシアが日本にとっての脅威であったからだ。アメリカが本格的にアジアで覇権を求めるようになるのは、日露戦争以後のことである。

保田は空理空論の徒ではなかった。歴史的な事象を色眼鏡で見たわけでもなかった。「述志の文学」の系譜に連なる者として、日本の心情に身を託したからである。戦後の日本の言論界の保田批判は、全てそこに集約される。

それだけで事足りたと思うのは間違いである。今なお深刻な問題として、私たちは自らに問わなくてはならないのである。

政治学者丸山眞男の「歴史意識の『古層』」でも、日本民族の「重たい現実」なるアポリアを問題視しているからである。

「われわれの『くに』が領域・民族・言語・水稲生産様式およびそれと結びついた聚楽《しゅうらく》と祭儀の形態などの点で、世界の『文明国』のなかではまったく例外的といえるほどの等質性を、遅くも後期古墳時代から千数百年にわたって引続き保持して来た、というあの重たい歴史的現実が横たわっている」

それを学問的に解明しようとした晩年の丸山は、『古事記』などの文献に依拠しながら、日本の歴史的な出来事の基底に「ひそかに、もしくは声高にひびきつづけてきた、執拗な持続低音を聴きわけ」ようとしたのである。

保田は隠された日本を顕現させんとした。独特な文体によって、一人称にならずに、集団的思考パターンに支配される日本民族の、生のままの感受性を掘りあてたのである。丸山は自らの文章を徹底的に推敲したといわれるが、保田は思いつくままに文字をしたためたのである。アプローチの仕方が異なっていただけなのである。

人間が歴史的な転換期に、自分の属している世界がどこに向かっているかは、皆目見当が付かないはずである。後世の歴史家が、色々な事象を関連付けるだけなのである。

「述志の文学」の伝統が日本人の心の底に失われずにあり、いつ欧米に侵略されても不思議ではない危機的状況下で、日本人としての絆を確認するために、あえて決起をしたのが天忠組であった。

明治維新を論じることで、失われた日本を救出しようとしたのが保田であった。日本の歴史を紐解くことで、自然に湧き上がってくる素朴な感情を問題視したのである。

歴史をつくるのは血が通った人間である。感情を持った人間なのである。『日本の文學史』において、保田は「古語古歌を学ぶことは、その意味をただ知ることでも、万葉調の歌をつくるためでもない」と喝破した。

保田にとっては、あくまでも「万葉集の人々が伝へのこされた自然を、今生のいのちの相としてたしかめ、その古のこころにたちもどるため」なのである。

「述志の文学」というのは、万葉集を離れては存在できないのである。個人的なレベルでの志などは、万古不易とはならない。万葉集の世界に立ち返ることは、失われた日本を取り戻すことなのである。それは同時に、現状を変革するエネルギーの源泉でもあるのだ。

「万葉集の成立に、意企や野心がなく、ただ自然がこの無比の文学をつくったといふことは、そのころのわが遠祖たちがすなほに信じたことばでいへば、神随《カムナガラ》、神の自然の性、人の思ひや人の意志といふものでなく、自然、神の性を見きはめて、それに従ったのである。かういふ理想の状態によってつくられたのだ、しかし作った人はさういふものを志とした」

万葉集によって「古のこころにたちもどる」ことができれば、自然と尊皇の思いがわいてきて、国のために身を挺することを厭わなくなる。その代表的な例が「天忠組」なのである。

幕末に活躍し、明治の元勲と呼ばれた者たちではなく、文武に秀でたとはいえ、名も無き草莽の志士たちに、保田は涙を流すのである。

そうした日本の文化に対する保田の思い入れは、三島由紀夫が『文化防衛論』の「創造すること守ることの一致」の章で述べていることでもある。

「文化における生命の自覚は、生命の法則に従って、生命の連続性を守るための自己放棄という衝動へ人を促す。自我分析と自我への埋没という孤立から、文化が不毛に陥るときに、これからの脱却のみが、文化の蘇生を成就すると考えられ、蘇生は同時に滅却を要求するのである」

政治的な戦後レジームからの脱却は、憲法を変えるか変えないかをめぐってであるが、それよりもはるかに、「述志の文学」との結びつきが未だにあるのか、それとも失ってしまったかの方が大問題である。明治維新の頃までは、遍く日本人の心に息づいていたのだから。

明治維新を実現するために、死ぬことも厭わなかった者たちは、今でいうプロパガンダやイデオロギーではなく、「述志の文学」の系譜に接することで、かけがえのない命を捨てることができたのである。保田が語りかたかったのは、その一言に尽きるのではないだろうか。

第六章　尾高朝雄の「ノモスの主権」――日本の国体は理念的天皇制

日本人が守るべき価値とは何か。それは国体ではないだろうか。その時々の国民の判断を絶対化してよいのだろうか。それを考える上に参考になるのが、法哲学の権威であった尾高朝雄が主張した「ノモスの主権」であった。

先の戦争に敗れたことで、アメリカによって憲法を押し付けられた。それが事実であるとしても、明治憲法と断絶があるのか、それとも根本においては連続性があるのか。まずそれを俎上に載せるべきではないだろうか。

国民主権主義というのはあくまでも理想でしかない。解釈の余地は残されているのであり、いかに憲法は改正されても、国体そのものは一貫しているとの尾高の説が、今こそ見直されるべきなのである。

「国民主権」と「天皇制」

とくに昭和二十二年に出版された『国民主権と天皇制』は、そのことを正面から論じている。昭和三十一年に尾高が急逝したことで、この問題が不問に付されているのは、日本にとっても不幸なことであった。尾高の代表作は昭和三十年に出版された『法の究極にあるもの』だとしても、そこにいたるまでの悪戦苦闘はもっと高く評価されるべきだろう。

日本国憲法が公布されたのは昭和二十一年十一月三日であり、施行されたのは昭和二十二年五月三日であった。それから一年も経たない十月に、尾高は世の中の風潮に反してあえて持論を述べたのである。

日本が独立を回復するのは、サンフランシスコ平和条約が発効した昭和二十七年四月二十七日のことである。尾高はアメリカを中心とした連合国の占領下にあっても、「国民主権」と「天皇制」が相反しないことを訴えたのである。

日本国憲法は、前文で「主権が国民に存することを宣言し、この憲法を確定する」とし、さらに、第一条で天皇が日本国の象徴であることを記すにあたって、「この地位は、主権の存する日本国民の総意に基づく」と書いており、日本の民主主義が国民主権主義であることを明言している。

人間は生まれながらに自由平等であるとの「人類普遍の原理」にのっとっており、それ自体を否定することは民主主義の否定である。新たな憲法によって日本の国柄が変革されたとみるのが通俗的な見方である。天皇主権から国民主権になったことをことさら強調すれば、そう理解せざるを得ない。

尾高はそこに疑問を呈したのである。日本には独自の国体があるからだ。それを無視することは混乱をもたらしかねない。ただ、その場合にも安易に復古主義には与《くみ》しなかった。国民の定義に関して、超個人的な「国民共同体」として実体論的に把握するのではなく、「ノモス主権」として国民が目指すべき理念があることを主張した。

大日本帝国憲法の第四条では「天皇ハ国ノ元首ニシテ統治権ヲ総攬シ此ノ憲法ノ条規ニ依リ之ヲ行フ」となっている。大石義雄は「改正前の憲法においては、わが国家統治権の総覧者は万世一系の天皇たるべきことを以て、国家統治の根本秩序すなわち国体とする」(『増補法学概論』)と解釈している。しかも、それは「肇国《ちょうこく》以来かつて変更されたことのないわが国体であると一般に観念されていたのである」との認識があったからだ。

「総攬」というのは絶対的権力者として天皇が実際に統治権を行使するのではなく、あくまでも「総攬」なのである。その意味するところは「統合して一手に掌握すること」である。国民の声を自らの声とするのである。先祖の神に常に祈りを捧げる天皇は、日本の伝統や歴史を考慮しながら、国民の地なる声に耳を傾けるのである。

「人類普遍の原理」を根付かせるために

天皇陛下の果たすべき役割を再確認し、新たな価値観のもとに再構築しようとしたのが尾高であった。「人類普遍の原理」である民主主義を、日本に真に根付かせるには「その実現される具体的な形は、時代の相違や民族の特殊性に応じて色々と相貌をことにしたものとなって現れる」との確信があったからだろう。

日本人の側から、内発的な力を確認することで、民主主義を骨肉化する試みでもあったのだ。いかに軍事占領のなかでの憲法制定であろうとも、尾高はあえてそれを引き受けんとしたのである。過ちを再び繰り返すことへの危機感があったからだろう。

国民主権主義と天皇制との調和は、本来であるならば、避けては通れない大問題なのである。日本が敗戦によって表面的に国体が変革されたとしても、その一方では「変っても変っても変ることのない一貫した精神のつながり」があるのだ。

憲法制定当時の日本政府は、あくまでも主権について「天皇を含む国民の全体にある」との見解であった。それが後になって多くの憲法学者と同じように、国体は変革されたと解釈するにいたったのである。

そうした国体をめぐる議論とは別に、尾高は新たな視点を導入したのだった。主権は法をつくる力であり、法に拘束されるのは、あくまでも現状肯定的にそれを容認するからなのである。主権者の意思決定の前には、法といえども突破されるのである。

尾高は「憲法をつくる力」としての主権への歯止めを天皇制に求めた。ドイツでナチズムが権力を掌握したのは、まさしく「主権の存する国民」によってであった。民族社会党を第一党にし、独裁政権を樹立させたのはドイツ国民なのである。

主権が国民にあるといっても、時には暴走することもあるのだ。主権が国民にあったとしても、それで全てがうまくいくと考えるのは、あまりにも楽観的過ぎる。主権は「法の上にある力」ではなく、それに方向性を与えるノモスに尾高は注目したのだった。いうまでもなくそれは成文法を神聖視するのではなく、法を成立せしめる絶対的な理念なのである。

「ノモスの主権」とは

「ノモスとは法であり、法の根本原理を意味するものと解する。そう解するならば、この言葉は、いままでに批判して来たところの実力としての主権の概念と対立するもう一つの立場、すなわち、いかなる権力も法の理念にはしたがわなければならないという立場を、最も印象的に表現しているということができるであろう。王は、地上の世界での最高の権力者である。もしも主権が国民に存するならば、その場合の国民もまた一つの王である。王はすべてのものの上にある。しかし、その王といえども、法の権威を犯すことはできない。否、天上の神々でさえもが、法の理念の前には恭順《きょうじゅん》でなければならない。その意味で、ノモスこそ王の上にある王であり、神々に対してすら王として君臨する。法は、地上の権力者によって勝手気ままに作られるものであってはならない。王が法を意のままに作るのではなく、王といえども法の理念にしたがって権力を行使すべきである。故に、国家において最高の権威をもつものを『主権』と名づけるならば、王が主権者であるのではなくて、主権はノモスにこそあるといわなければならぬ。実力としての主権概念が時代錯誤であるのならば、新たに確立せられるべきものは、『ノモスの主権』の概念でなければならぬ」（『国民主権と天皇制』）

尾高は「国民主権主義」がバラ色でないことを熟知していたのだった。主権の存する国民をまとめあげることができるのか、素朴な疑問を抱いたのである。国民の意志の総計ということが可能であるか、それを一つの意志にするのは困難である。議会制民主主義の国家では、議会の多数意志が国民の意志とされる。それが政治や立法に反映されるのである。

直接か間接かは問わず、主権が国民にあることで、それを批判できない状況が生まれてくるのである。民主主義の名のもとにゴリ押しされる危険性があるのだ。それを防止するのが天皇制なのである。民主主義と君主制が両立する国家として、イギリスを挙げるのは、政治に混乱をもたらさないための知恵として、それをイギリス人が編み出したからなのである。過去の郷愁に浸るのではなく、西洋型の君主国家に近づくことのメリットを尾高が説いたのである。

そして、国民の主権が政治において実現されるには、ルソーの『社会契約論』を踏まえつつ、政府の権力の根源として、国民の意志の存在がクローズアップされ、それが国民の総意として形成されなくてはならないのである。

国民の総意の政治

尾高のいう「法を作る力」も、自律的な国民の総意にもとづかなくてはならないのである。国民主権主義とは、まさしくそのことなのである。それが法治主義の原則なのである。しかし、国民全員が一致すれば、それで国民の総意となるわけではない。あくまでも一人一人の特殊意志の総計でしかない。公共の福祉に合致しているかどうかなのである。

利害関係がバラバラなのに、特殊意志が一致することは困難である。全員の意志が一致するからといって、それが正しいことだとは限らないのである。だからこそ、ルソーにおいても「法の理念としての主権」が重要なのであり、それにもとづいた国民の総意が重要なのである。

尾高は「法の理念としての主権」とは、「ノモスの主権の承認」にほかならないことを訴えたかったのである。ルソーは間接民主主義には反対し、立法は国民集会での投票（直接民主主義）で決められるべきであるとの立場であったが、立法のプロセスとしては「法の理念としての主権」に依拠したのである。

国民主権主義が常に正しい国民の総意を政治に実現するためにも、手続き的には多数決に頼らなければならないが、それが絶対でないことはいうまでもない。多数決で決めたことが誤る場合もあるからだ。少数意見にも発言の場を与えるとともに、少数党が正しければ、次回の投票行動で多数党に押し上げ、立法及び政治の指導権を与えなければならないというのが、民主主義を補完する政治的なダイナミズムなのである。

尾高は「議会で構成される現実の立法意志の方向を、国民の公明な批判によって絶えず新しい目標にむけ直して行くところにこそ、民主政治の発展がある。しかも、いかに努力しても近似値的にしか実現され得ない『正しい立法意志の理念』を、『国民の総意』という形で常に高くかかげているのが、国民主権主義の本領なのである」と指摘している。

「国民の総意」に尾高がこだわるのは、いうまでもなく日本国憲法の第一条が「日本国の象徴であり日本国民統合の象徴であって、この地位は、主権の存する日本国民の総意に基づく」と書かれているからだろう。

大東亜戦争の敗北という厳しい現実のなかで、日本国憲法をどのように評価すべきか、過去との連続性を維持できるか、尾高は国家的な使命を一身に背負ったのである。「万世一系の天皇」という言葉にしても、復古調に与することなく、現実には存在しない永遠の思慕や憧憬として位置づけたのだった。

政治が「天皇の大御心」にかなうかどうかが問題なのである。理念としての「天皇の大御心」

が君臨することを、日本国民は待望したというのだ。尾高は「天皇という具象の形に結びつけて考えられてはいても、実は、永遠に変るべからざる法の正しさへの志念であり、『ノモスの主権』の民族的な把握の仕方に外ならなかったといわなければならない」と問題提起をしたのである。

理念としての天皇制の意義

常に正しい国民の総意を形成するには、天皇の存在が不可欠なのであり、それが日本の国体なのである。天皇の大御心自体も、国民を離れては成立せず、だからこそ、歴代の天皇は国民の心を心としたのである。

明治憲法であっても「ノモスの主権」が前提とされていたのである。言葉においては国民主権が「翼賛」という形で語られていたとしても、本質的にはそれほどの大差はない。天皇が象徴となったことで、その権威が失墜したのではなく、隠されていた部分が表舞台に出てきたのである。尾高は「あたかも廻り舞台のように、表面に出ていた一つのものの一面が背後にしりぞき、背後にあったものが表面に押し出されて来たのであると見るならば、そこに、あらゆる転換、あらゆる変革にかかわらざる、理念の面での歴史的な継続性が維持されているといってよいであろう」との見方を示した。

理念としての天皇制であったとしても、政治を動かす力を発揮してきたし、それは今後も変わらないのである。国民主権を成り立たせしめている根拠は、それぞれの国が培ってきた国柄に根差すべきなのである。

ただ、その場合においても、短絡的に明治憲法に復帰することは、その苦い経験を無視したアナクロニズムにほかならない。尾高は保守の側から戦後の日本の民主化を評価したのである。

現実の天皇が統治意志の主体として行動することは、かえって連綿として続いてきた美しい理念に泥を塗ることになる。明治維新までは天皇は理念上の存在でしかなかった。明治以降も自らが政治を行われたわけではなく、立憲君主制が採用されたのである。

しかしながら、理念としての天皇制を利用し、天皇の名のもとに政治を壟断する勢力が国を誤らせたのである。その反省に立つならば、国民が政治に責任を持つのは当然の成り行きである。国民一人ひとりの自覚のなさが最悪の結果を招いたからだ。

日本国民は「主権の存する国民の総意」として、能動・積極的な態度で「ノモスの主権」を回復することを選択したのである。その意義を一人でも多くの国民に知ってもらうために、憂国の思いに掻き立てられて『国民主権と天皇制』を尾高は一気に書き上げたのである。

「新憲法は、純粋の理念の面では、天皇制の伝統を十分に尊重している。なぜならば、国民の自力本願・自己責任の努力によって正しく再建されていく日本国の姿が、改めて天皇によって象徴せられるというのは、現実政治の葛藤を超越した純粋理念の高みにおいて、古来国民が天皇に求めたところのものを適切に表現しているといってよいからである。故に、国民もまた、これ以上に国体の論議を無用に紛糾せしめることなく、新憲法における国民主権と天皇制の調和にむかって、建設的な考察をすすめて行ってしかるべきだろう」

尾高を批判した宮沢と芦部

現在の日本の憲法学者がどうみているかは、芦部信喜の『憲法　新版補訂版』が大いに参考になる。尾高の「ノモス主権論」は憲法学者の宮沢俊義と論争になったが、戦後民主主義の勃興期でもあり、憲法解釈の世界では尾高は主流となることはなかった。

だが、戦後七十年以上が経過した今、国民主権の本質が問われてきている。宮沢の影響下にある芦部は、君主主権との対抗関係のなかで生成されたものとして、国民主権を理解している。そして、主権が国民や君主ではなくして、民族共同体としての国家や、主権が天皇を含む国家にあるとの説を批判している。

芦部の説は大事なものがすっぽりと抜け落ちている。国民の主権の行使が絶対化され、それが国家権力の究極の根拠であるばかりか、国の政治の在り方を最終的に決定する権能を有するのであれば、国民主権主義を制約する「ノモスの主権論」のような理念はどこにも存在しないことになるからだ。

日本の国柄を根本から否定するならば、将来においては天皇制を否定する動きとも結びつくのである。今生きている国民の決定が絶対視されてしまうからだ。

芦部は「日本国憲法においては、天皇の地位は『主権の存する国民の総意に基づく』（一条）ものとされる。したがって、天皇は絶対的なもの、不可変更的なものではなく、国民の総意によって可変的なものとなった」（『憲法　新版補訂版』）と公言している。

日本で共産主義国家の樹立を目指す政党や勢力が、一定程度現行憲法を評価するのは、「国民主権」ということで、廃止が多数派となれば天皇制を終わらせることができるからなのである。

そのことは核心部分であるにもかかわらず、自民党の憲法改正草案でも議論が煮詰まっていない。

尾高がもっと長生きをしていれば、そんな状況にはならなかっただろう。日本国憲法を保守の側から正当化する議論が主流になっていれば、解釈は大きく変わっていったはずだ。宮沢から芦部までの流れは、近い将来に共産主義国家になることを前提にしていたのである。

さらに、注意しなくてはならないのは、国民主権を声高に叫ぶ者たちが、アメリカの一方的な圧力に屈したのを無理矢理に正当化するにあたって、ポツダム宣言を引き合いに出したのだった。それが宮沢の「八月革命説」であった。

日本国憲法の制定は、大日本帝国憲法の七十三条の改定規定にのっとって行われたことを無視したために、その延長であるならば、宮沢のいう「八月革命説」は根本から否定されてしまうからだ。宮沢はポツダム宣言を日本が受諾した段階で、日本に一種の革命があったと決めつけるのである。

日本の官僚を養成する東京大学では、それが今でも定説になっているのである。日本人自身の手では憲法をつくるまで意識が高まっていなかったので、外圧もやむを得なかった、と弁解しておきながら、国民の主体的な判断が関与しないにもかかわらず、芦部などは「八月革命説」に立脚しながら、飛躍した論理で堂々と「日本国憲法は、国民自らの憲法制定権力に基づいて、国民が制定した民定憲法である」と臆面もなく書き記しているのである。

最高法規としての憲法の正当性の淵源は国民なのである。「正統」ではなく「正当」の言葉があてがわれているのが象徴的である。日本の歴史や伝統を無視して、アメリカ流の一方的な価値観を語っているだけなのである。

曲学阿世の徒である憲法学者

多くの日本国民は、芦部の『憲法　新版補訂版』を手に取ったら飛び上がるに違いない。尾高の天皇制と国民主権の調和を念頭に置いた解釈と比べて、あまりにも国民主権を強調しているからだ。バランス感覚がなく、まさしく「法匪」と呼ばれるべき曲学阿世の徒でしかない。

宮沢と芦部の憲法解釈を学んだ者たちは、不幸なことこの上ない。法律や判例を丸暗記して、それで競争を勝ち抜いたとしても、大事なものを見失ってしまっている。国民主権主義の危険性と限界が、今ほど深刻になっている時代はない。世界が今混迷しているのは、主権を制約する原理が機能していないからではないだろうか。日本独自の「ノモス主権」の回復こそが、日本に本来あった民主主義を花開かせることになるのである。

宮沢は昭和三十年代までは、向かうところ敵なしだった。それが時代の趨勢でもあったからだ。ベルリンの壁が崩壊した後から、共産主義の信奉者は激減した。ようやく日本人は失われた自分たちの言葉を取り戻しつつあるのだ。

芦部によると「宮沢はリベラルでない民主制は、民主制の否定であり、多かれ少なかれ独裁的性格を帯びる。民主制は人権の保障を本質とする」（『憲法　新版補訂版』）と述べていた。そんな抽象的な言い方が通用するわけがない。国民主権主義の暴走を阻止するための方策は、まったく示されていないのである。

宮沢や芦部のような憲法解釈が東大で教えられているのは、司法試験一辺倒の法学教育のせいである。一般教養を身につける暇がないのである。尾高の「ノモス主権」を理解する力がないのは、日本を代表する思想家である柳田国男や西田幾多郎などの著書を読んでいないからだろう。

現行法の解釈技術の実用主義にばかり関心が向けられ、法の本質をめぐる議論に参加できる一般教養を持ち合わせていないのである。どうしてそれで人を裁くことができるのだろうか。非常識な判決を出す裁判官がいたりするのは、実用主義が幅をきかせているからではないだろうか。

柳田国男と西田幾多郎の日本人論

柳田の『先祖の話』は、我が民族の信仰の拠り所を余すところなく伝えている。尾高はそれを自分のものとしたからこそ、日本人が自らを律すべき価値を示すことができたのである。

「日本人の多数が、もとは死後の世界を近く親しく、何か其消息に通じて居るような気持ちを、抱いて居たということは幾つもの理由が挙げられる。そういう中には此隣《ひりん》の諸民族、殊に漢土と共通のものもあると思うが、それを説き立てようとすると私の時間が足りなくなる。茲に四つほどの特に日本的なもの、少なくとも我々の間に於て、やや著しく現われているらしいものを列記すると、第一には死してもこの国の中に留まって遠くへは行かぬと思ったこと、第二には顕幽二界の交通が繁く、単に春秋の定期の祭だけで無しに、何れか一方のみの心ざしによって、招き招かるることがさまで困難でないように思って居たこと、第三には生人の今はの時の念願が、死後には必ず達成するものと思って居たことで、是によって子孫の為に色々な計画を立てたのみか、更に三たび生まれ代って、同じ事業を続けられるものの如く、思った者の多かったというのが第四である」

まさしくそれは先祖教と呼ばれるにふさわしい。それを教えてくれる経典がなくても、日本人は先祖との一体感を離れては存在しないし、それが今の世の日本人の倫理的な支えともなっているのである。

通り一遍の自然法の思想をあてがわれて、それで私たち日本人は納得できるのだろうか。聖書の山上の垂訓のような絶対者からの教えではなくて、死との親しさのなかで、あの世とこの世の交渉を前提に、先祖の教えを守ることを己に課してきたのである。そこに目を向けることが、国体を顕現することではないだろうか。

憲法とはまさしく国体のことである。にもかかわらず、日本の歴史と伝統との連続性がないならば、根付くわけがないのである。西田幾多郎も『日本文化の問題』のなかで、日本人と皇室との関係に触れていて興味深い。

「曾我氏藤原氏以来我国歴史に於て主体的なるものは、それぞれの時代に於てそれぞれの時代の担い手の役割を演じたのであろう。併し作られて作るものとして、如何なる主体ももはや環境に適せない。即ち社会形態が行詰まる時が来なければならない。歴史が生きたものであるかぎり、然らざるを得ない。支那ではかゝる場合が易姓革命となった。我国ではそれがいつも皇室に返ると云ふことであった。復古と云ふことであった。そしてそれはいつも昔の制度文物に返ると云ふことでなく、逆に新たなる世界へ踏み出すと云ふことであった。明治維新と云う如きものが最も之を明にして居ると思ふ」。

西田は復古主義とは無縁である。尾高のように目指すべき理念として皇室を問題にしているのである。政治的な主体とは異にし「皇室は此等の主体的なるものを超越して、主体的一と個物的多と矛盾的自己同一として自己自身を限定する世界の位置にあった」と書いている。

西田が「過去に還ることは単に過去に還るのではなく、永遠の今の自己限定として一歩前へ踏み出すことであった」と指摘しているように、源頼朝が平家を攻めたのは高倉以仁王の令旨によったのである。鎌倉幕府の成立にあたっても、理念としての皇室をないがしろにはできなかったのである。それが意味するものは、いかなる時代であろうとも、その背後には皇室があったという歴史的な事実である。

理念としての天皇制と民主主義

日本人は理念として天皇制を必要としてきたし、それこそが日本の国体なのである。「永遠の今の自己限定」とは、尾高が主張する「ノモスの権力」を念頭に置いているのである。哲学の分野では、そこまで深く掘り下げられているにもかかわらず、憲法学はその手前で思考を停止してしまったのだ。

日本国憲法についての解釈で、尾高よりも宮沢が主流となったのは、戦後の言論空間のゆがみがそうさせたのである。日本の過去の歩みを否定することが最優先され、天皇親政というまやかしの制度と、天皇制の理念の区別がつかなかったのである。

「ノモスの権力」を円滑に働かせるためには、何をなすべきかを簡潔に書き記したのが尾高の

『法の究極に在るもの』であった。これを出版してから二ヶ月後の昭和三十一年五月十五日にこの世を去っており、まさしく最後の著書となったのである。

「国家および国民生活の特殊性というものが充分に顧慮せられなければならない。中でも、日本の国の国柄がもつ最も大きな特殊性は、国民が天皇を中心として統合してきたという事実である」ことを承認しつつも、それはあくまでも理念としてのものであることを力説したのだった。「日本における天皇の地位はもともと理念的なものである。皇統が『万世一系』であるというのも、歴代の天皇が『徳を以て民に臨み』給うたというのも、それぞれ一つの理念なのである。それは、きわめて特殊な理念として、今後も日本の国民生活の上に特殊な存在理由をもつであろう。そ普遍的な正しい政治の矩を天皇の大御心という特殊な形で把握して来たということは、日本民族の固有の歴史的伝統として尊重されるべきであろう。天皇をめぐって現実の政治力が形成されるということは、折角の理念に現実の泥を塗る結果になる」のを恐れたのである。

尾高には「天皇は純粋の理念の具象として、あくまでも現実政治の外に立ち給うべきである。正しい立法意志の理念を現実化して行くという仕事は、どこまでも国民が国民自らの権利と責任とにおいてこれを行うべきである」との立場は一貫していたからだ。

最終的な責任は国民にあるとしても、「ノモス主権」として機能する理念としての天皇制が絶対条件なのである。「力めても力めてもなお十全の現実化を期することのできない正しい政治の理念が、天皇によって象徴せられるということは、民主政治が信念のない数の政治に低落することを防ぐための指標として、深い意味をもつ事柄であるといわなければならぬ。その意味で、普遍なる民主主義の原理と特殊なる天皇制との総合・調和の中に、日本の『国内法の究極に在るもの』を求めることができるであろう」

国体を踏まえた新たな日本を

日本国憲法を擁護するのは左翼やリベラルの専売特許になっているが、保守の側にも尾高のような法哲学者がいたことを忘れるべきではないだろう。

いかに改憲の動きが顕在化したとしても、日本国憲法の一部分の改正にとどまることになるだろう。そうであるならなおさら、解釈の面での不具合を正すべきなのである。

宮沢俊義や芦部新喜のような通俗的な説明では、国民主権と象徴天皇がどのように結びつくかが、まったく語られていないのである。「天皇制」は国民が支持しているから当面は認めたとしても、将来的には廃止すべきとの考え方があったのは確実である。

日本の社会の封建的な残滓として捉え、民主主義革命の暁には廃止するのが当然のこととされてきた。マルクス主義特有の社会の発展史観で、単純な図式化が行われてきたのである。

世界のどの国家であろうとも、それぞれの歴史や伝統を無視することはできないのである。「八月革命説」を唯一の根拠にして、それまでの日本が一日にして変革されたとみるのは、あまりにも一面的である。ポツダム宣言を日本が受諾した段階で、明治憲法の根本規範が意味をなさなくなったというのは、とんでもない飛躍なのである。

今こそ尾高の「ノモスの主権」が見直されなくてはならない。日本は過去に後戻りすることは許されないが、保存すべき日本の国体を守り育てていく責務が私たちにはあるからだ。

全面的な憲法改正の気運は起きてはいない。そうであるのならば、日本国憲法を搦め手から攻めていく方が、戦術的には実効性があるのではないだろうか。しかし、その場合でも三百万の我が同胞の死を無駄にしないためには、戦前の日本の復活であってはならず、未来に向かって新たな日本を建設するのではなくてはならない。

日本国憲法はキリスト教の自然法思想を基本原理としているとしても、日本の国体に即して論理的な組み換えをすることで、部分的な改正でも日本を取り戻すことが可能なのである。まずは尾高朝雄の「ノモスの主権」から学ぶべきなのである。

第七章　知の探究者鶴見俊輔――戦後のリベラリズムの旗手

鶴見俊輔は本来の意味での哲学者であった。イデオロギーで人を裁くのではなく、あくまでも知の探究者としての誠実さを失わなかった。それをプラグマティズムと一括りで語ることは、鶴見の全体像を論じたことにはならないだろう。

哲学が知を愛する行為である以上、自分なりに思考するというのが前提でなくてはならない。それを鶴見はやってのけたのである。外国の哲学書の翻訳をして、哲学者になった学者たちとはまったく異質であった。

長谷川宏の『ヘーゲルを読む』に収録されている「ふっくらとした言葉で、近代を」における長谷川との対談のなかで、鶴見は、哲学することの意味を私たちに教えてくれる。ヘーゲルを翻訳した長谷川の仕事を話題にしながらも、論点はよりラディカルであった。

原書講読なるものの無意味さを語っていたからである。日本人が学問だと思っている「原書を読め」ということについて、鶴見は「ヨーロッパにもないと思う。アメリカにもない。あらゆるテキストは、翻訳で、しかし縮尺したりダイジェストしたりしていないものを読む、というのがまっとうとされているんです。『研究者になるには原書で』というのは、実は自分たちが日本語訳者たちを信用してないということなんですよね」と述べていた。

一人一人が工夫する知恵が哲学

あたりまえのことが通用しないのが日本の学問の世界なのである。外国語から日本語に言葉を置きかえることよりも、自分の頭で考えることの方が重要なのである。

ろくな翻訳本がないというのは、日本語に消化できていないからにほかならず、翻訳する者の理解力も乏しいからである。

さらに、そこで鶴見はヘーゲルを批判しながら、自らの立場を表明したのだった。「大衆一人一人がその場で生きて、工夫する知恵」にこだわったからだ。高尚な理論よりも、もっと生活実感に立脚した哲学であった。自分の文章もなおざりにはしなかった。誰もが読めるように心がけたのである。

鶴見は市民運動家としても知られているが、それは彼の反骨の血が騒いだからだろう。学問の世界での業績は、どこまでも冷静であり、謙虚な姿勢を崩すことはなかった。そこに私たちが何を付け加えられるか、それを考えることこそが重要なのである。

鶴見の功績として特筆されるべきは、大衆の情念に背を向けなかった数少ない哲学者であったことだ。その代表作が『限界芸術論』であった。人間の本性に根差した感情を否定せず、それを根拠にした思想の復権を主張した。そうしたラディカルな問いかけこそが鶴見の真骨頂であったのだ。

大衆の情念を国家改造に

鶴見の書いたものに最初に触れたのは、私が高校三年生のときである。筑摩書房から出た『戦後日本思想体系5　国家の思想／編集吉本隆明』に収録されている「わたしのアンソロジー」という短文であった。編集の吉本は「天皇および天皇制」の解説文において「じぶんの愛好する詩歌について語るという形で、国家形成のイメージと国家に対して戦うイメージの内面的なせめぎあいの姿を、戦時下の自己体験にそくして語っている。著者のもっとも優れた文章の一つである」とまで絶賛していた。

敗戦前までの日本においては、国家に対してのある種の感情が日本人の心を捉えていた。小学唱歌によって育まれたものであった。鶴見は「明治から、大正、昭和十年ころまでの小学唱歌は、南朝の衰亡当時の権力者に見はなされた最後の抵抗者たちの姿をうたったものが意外に多い」というのを見抜いた。

後に続いてくれる者たちを信じながら、あえて死を受け入れる。死を頂点としたパトスが日本人を駆り立てたのである。正統派のマルクス主義者であれば、ファシズムの温床として一刀両断するのが普通であるのに、鶴見はそうではなかった。自らも反逆児であった過去を引きずっていたからだろうか。合理的には割り切れない情念の世界を解明しようとした。

また、鶴見の分析は説得力があった。死へと向かうパトスは、日本国家が一丸となった日米開戦の最初の段階では「一時エネルギーを失い、便乗主義の中に姿を没する」こともあったが、「国家の運動が明らかに敗色になってきた大東亜戦争後期に特攻隊のイデオロギーとして、もう一度、姿をあらわす。この時代に、特攻隊の葬送にさいして、あたらしいいぶきをこめて歌われた大伴の家の歌は、便乗色をぬぐいさった純一の感情の流露を示した」というのだ。

海行かば　水漬《みづ》く屍《かばね》
山行かば　草生《む》す屍
大君《おほきみ》の　辺《へ》にこそ死なめ
顧みはせじ

(「続日本紀宣命」初出)

日本人であれば切なく美しいのであり、悲壮感に心動かされる。カミカゼ特攻機が火だるまになって、アメリカの航空母艦に突っ込むシーンがあるが、そこで決まって流れる歌である。

鶴見は「この歌は、信時潔の曲の美しさに助けられて、大東亜戦争の末期に見事な愛国心のイメージをつくった。この無私の国家主義を向うにまわすことができるような国家打倒のコースを、同じような純一さをもってつくりたい」との願望を持っていたのである。

死へと向かうパトスにはある種の美意識がある。無私になり切れない自分に後ろめたさを感じるのは、鶴見とて同じであった。あえて利己主義にこだわることの弱さを乗り越えていく、その決意が大衆になければ、世の中を変革することは難しいのである。

もし違ったベクトルとして働けば、大東亜戦争の結末も変わっていた可能性がある。別な日本の戦後史がありえたことを鶴見は構想する。それは当時の日本の権力者の手になるヘゲモニーではなく、新たな勢力の台頭を前提にしており「国家に対する無私の献身のエネルギーが、国家改造のエネルギーにむかって自発的にきりかえられるようなある一点に達したのではなかろうか」と書いたのである。

戦後の日本の民主主義が、個人のエゴの尊重であり、それが自由と民主主義であると勘違いしてきた。だからこそ、今の世になっても、個人の損得がまかり通ってしまうのである。公という価値観が姿を消してしまったからだ。自分のエゴをいくら振りかざしても、変革のエネルギーに転化するのは困難なのである。

鶴見はそうではなかった。政治を変えていくエネルギーを引っ張りだすにあたっては、個人のエゴでは到達できない地平があるからであり、そこまで引き上げられなければ、他者との連帯も絵空事でしかないのである。

思い入れの故に日共を批判

スターリン批判の火の手が上がった一九五六年に世に出た久野収との共著『現代日本の思想――その五つの渦』に収録された、「日本の唯物論――日本共産党の思想」を執筆したのも、個人のエゴを否定した党派や集団に関心があったからだろう。

令和の時代にあっては理解できないだろうが、かつては日本共産党というのは大きな存在であった。鶴見は日本共産党の影響力が強かったことを問題視する。

戦前、戦争中にあって「アカ」とレッテルを貼られることは、いうまでもなく「日本人の大衆意識の上で孤立」を意味した。それは同時に「孤立しながらも、最後までみずからの陣地を守りとおしたということ」と表裏一体であった。

もちろん、鶴見がマルクス主義の哲学を無視したわけではない。ソ連はまだ崩壊しておらず、ロシア革命の栄光は光り輝くものがあった。プラグマティストであったにもかかわらず、鶴見はかなり同情的であった。

マルクス主義の正統派とは異なるとしても、鶴見は独自の観点から日本共産党を弁護した。「日本共産党の哲学は、弁証法的唯物論である。ただ世界を物質からできたものとして理解するというだけではなく、物質からできている世界であるが故に、それにたいして無用の恐れをいだくことなく、自由にはたらきかけてゆき、人間の力のおよぶかぎり、よりよいものとしてゆく努力をおしまないという能動的な考え方である。そのさい、このようにしさえすればよいという固定的な理想にとらわれるのではなく、全体としてどうにもならぬ重さでわれわれの上におおいかぶさってくる世界そのものの物質的構造の分析のなかから、実現可能なよりよい未来のコースを見つけて、その実現に努力するという思想である」。

自分の頭で考える哲学者は、マルクスやエンゲルス、さらにはレーニンの言葉を引用せずに、自らの思い入れを語ったのである。しかし、日本共産党がその希望をかなえてくれたかというと、それははなはだ絶望的であった。

現実の運動としては、日本共産党は一部の国民の声を代弁するにとどまった。鶴見はなぜそうなったかを問題にしたのである。イデオロギーとして「選ばれた思想体系」であったがために、かえって現実を見失うこととなった。凝り固まったイデオロギーからの演繹のみによっては、世の中を変革することは難しいからだ。「選ばれた思想体系」の解釈と、プロパガンダの言いかえだけでは、すぐに壁にぶつかってしまうからである。

鶴見は臆せずそれらの問題点を指摘した。あえて日本共産党の足元を掘り崩したわけだから、贔屓の引き倒しになりかねない。そこにもまた鶴見のラディカルさが発揮されたのである。

党派的な独善性を強めた理論信仰

日本はマルクス主義の解釈の学では、世界でも第一位に属する。言いかえとしての同義語反復は党派的な独善性を高めた。「大衆から孤立するというだけでなく、マルクス主義の思想体系を現にうけいれている者以外のインテリ層にたいしても、働きかけの力をうしなわせた」と鶴見は指摘する。

さらに、日本共産党が役割として、国家や家といった桎梏からの解放を目指すために、「その戦いの相手方の性格によって特殊の刻印をうけた」ことも重要視している。そして、知識人や国民大衆の生活実感からも大きな飛躍があったほか、唯物論にしても大局的真理が重んじられ、目の前の具体的な状況は無視されてしまった。「選ばれた思想体系」に固執したからである。

教条主義の代表的な存在が福本和夫であった。彼の理論は福本イズムと呼ばれ、分離結合論によって本当の前衛となる部分が突出して、その上で大衆のエネルギーを結集しようとした。それまでの日本特有の雑多なマルクス主義を批判した。「理論的に純化していく」ことにこだわったのである。

コミンテルンの二十七年テーゼにともなって、福本イズムは否定されたかのように見えるが、それはあくまでも表面上のことであった。後々まで尾を引くことになるのである。表向きは党の特化路線を取るのではなく、幅広い統一戦線を模索したとしても、マルクス主義に忠実であろうとする純粋さは、現実逃避を肯定する方便ともなった。

思想の純粋性を絶対化すれば、イデオロギーが異なる他者を「否、否の論理」において裁いてしまう。マルクス主義の解釈をめぐっても争いが生じる。現実との接点などはどうでもよくなり、内輪の権力闘争で勝ったグループが党中央を握るのである。

誰もそれに異議を唱えることはできず、そこからはずれれば、転向の汚名を着せられるのである。徹底したセクト主義ではないだろうか。

大衆を蔑視した硬直化した姿勢は、何かの拍子で崩れればあっけなかった。それが転向の引き金になったのである。背を向けたはずの家に復帰し、そこで日本回帰のコースを辿ることになる。上から目線は安定性に欠け、宙ぶらりんな状態には、どんな人間でも耐えられないのである。

もう一つは自主的な思考の弱さである。党の指令を守ることが絶対で、その掟を守ることに全力が傾注された。個人の葛藤はどこかに追いやられ、人間的な弱さは自覚のなさと同一視されたのである。まさしく主体性の欠如ではないだろうか。鶴見はそれらを俎上に乗せることで、日本共産党を批判したのである。

しかし、その一方では硬直した姿勢は、強い信念と表裏一体であった。「日本の思想は、実にぐらりぐらりと、外的な刺激に応じて『移動』してゆく。この特色は、明治のなかばに北村透谷のすでに指摘したとおりである。このように、すべての陣営が、態勢に順応して、右に左に移動してあるく中で、日本共産党だけは、創立以来、動かぬ一点を守り続けてきた」と鶴見が評価するように、昭和元年から昭和二十年までの期間においては、潔癖さの点で知識人の信頼を得ていたことも否定はできない。日本共産党の一貫性を認めることはやぶさかでなかったのである。

抵抗者の姿勢貫く

危機的な状況下で日本の国家が統一へ向かうなかにあって、それへの対抗軸となったのは、日本共産党であった。反面、それは日本の思想的な悲劇でもあった。一定の距離を置きリベラルに与すべき知識人までもが、コミュニストへの共感を示したからだ。

鶴見からすればそれは日本の特殊事情であった。「『リベラル』(自由主義者)という言葉が、ヨーロッパ、アメリカの歴史的文脈の中で、どれほどの輝きをもつ言葉であるかは、日本の知識人には理解されていない。二・二六事件以後の軍国主義の進行にたいして徹底的にたたかった河合栄次郎のような例外はあるが、この例外はかえって、日本の自由主義の消滅という全体的傾向をきわだたせる役割を果たす」と書いている。

教義中心の日本共産党にも、変化の波が押し寄せなかったわけではない。獄中で非転向を貫いた日本共産党関係者が読む本が、無害な図書であった『現代』、『雄弁』、『キング』であったことから、そこから得た情報によって「日本のそのときどきの問題が何であるかについての的確な判断をもっているることが知られる」というのは、イデオロギーから自由であることのメリットでもあった。

そうした大衆との接近は、治安維持法で活動が禁止された日本共産党の残ったメンバーが、地道に「若い労働者や婦人労働者の、職場の中の、日常の質問に答える活動をはじめた」こととも重なり合う。

当時の知識人は日本共産党におもねる者が多く、口にすること自体がタブーであったにもかかわらず、日本共産党の絶対的な神話がなにゆえに生まれたのか。それによるマイナス面を含めて話題にしたのが鶴見であった。

では、日本共産党はどうすればよかったのだろう。その処方箋までも鶴見は提示した。建設的な提案をしたのだった。それは組織論のカテゴリーに属するが、いわんとするところは明快であった。「生活細部の唯物論的認識が、党員である労働者・農民から確実に伝わってきて、中央部において日本の現状についての全体像がしっかりできるような組織がつくられておれば、おそらく、この組織そのものが、検証の理論をふくむものとなるだろう」

火炎瓶闘争によって大衆の支持を失い、戦後のコミンフォルムの批判に簡単に屈したのは、しっかりとした足場を大衆レベルに築いてこなかったからである。

鶴見の世代よりも三十年も後に生まれた私は、もはや日本共産党に畏敬の念を抱く世代ではない。逆にソ連の崩壊や中国の全体主義を目の当たりにすると、鶴見の思い入れの強さに違和感を覚えてならない。

しかしながら、鶴見が生まれた大正十一年というのは、奇しくも日本共産党が結成された年である。福本和夫の三部作は昭和元年で、二十七年テーゼの作成は昭和二年、昭和三年からは日本共産党への弾圧が開始され、獄中にあった日本共産党関係者が釈放されたのは、昭和二十年の日本の敗戦を待たねばならなかった。

人並み以上に多感であった鶴見が、日本共産党への思い入れがあったとしても、それを誰も責めることはできないだろう。いかに「家からうしろがみをひかれる思いに屈せず、日本の国家権力にむかって正面から挑戦しつづけた思想家集団は、昭和年代に入ってからは、日本共産党以外になかったのである。私たちは、思想を大切なものと思う限り、日本共産党の誠実さに学びたい」と書こうとも、実際には砂上の楼閣であることを世に知らせしめたのは、鶴見の功績なのである。

鶴見の思想的な核心部分は、大衆を抜きにしては語ることができない。それは同時に日本という大地に根を下ろすことでもある。柳田国男の文章を引用しながら、『限界芸術』のなかで、祭りを取り上げている文章などを初めて読んだときは、まさしく目からうろこが落ちた思いがした。

拠り所は柳田国男と宮沢賢治

柳田国男は『日本の祭り』で「日本の祭の最も重要な一つの変り目は何だったか。一言でいうと見物と称する群の発生、即ち祭の参加者の中に、信仰を共にせざる人々、言わばただ審美的の立場から、この行事を観望する者の現れたことであろう」と書いているが、鶴見は『限界芸術』のなかで「小祭復興方法によって、今日の日本の純粋芸術・大衆芸術全体をよみがえらせることができるか」との問いかけを発した。

「小祭を支えてきた国民的信仰が、すでに今日のわれわれの中に失われているとすれば、新しい仕方での国民的信仰をつくることと、新しい小祭をつくることとは、同時にわれわれに課せられた義務となろう」とまで述べたのである。東北の祭りとかいわれるものの多くも、観光客を目当てにしたイベントでしかない。単なる見世物でしかない。しかし、本来は村や町で地区の人たちに守られてきた小祭こそ大事にすべきなのである。

金儲けのための見せ物ではなく、そこに参加することで心に平安が得られ、ある種の美意識に裏打ちされれば、日常的な生活に潤いが与えられるはずだ。大衆の潜在的なエネルギーは過少評価されるべきではないのである。

宮沢賢治に注目したのは、芸術をつくる主体として、大衆の存在をベースに考えていたからだろう。『農民芸術概論』に盛り込まれている内容に、鶴見は賛辞を惜しまない。

職業芸術家は一度亡びねばならぬ

誰人もみな芸術家たる感受をなせ

個性の優《まさ》れる方面に於て各々止むなき表現をなせ

然もめいめいそのときどきの芸術家である

創作自《おのずか》ら湧き起り止むなきときは行為は自ずと集中される

そのとき恐らく人々はその生活を保証するだろう

創作止めば彼はふたたび土に起つ

ここには多くの解放された天才がある

個性の異る幾億の天才も併《なら》び立つべく斯て地面も天となる

賢治への傾倒は、鶴見の思想的な源泉がどこにあったかを示している。「個人の数だけの個性がある。オリジナリティということは、一万人にただ一人の長島の腕とかいうようにして珍しがられる才能を言うのではなく、ひとりひとりが当然にもっている個性を深めるということでしかない。人類二十七億には二十七億だけの個性の可能性があるわけだ」

名門の一族に育った鶴見は、それが圧迫となったことは明らかだ。家を桎梏と感じて、そこから離れるために、あえて非行じみた行為にも及んでいる。大衆を善とし、大衆との距離を絶えず意識するのは、恵まれた名門の家ではなく、名もなく貧しい者たちの肩寄せ合う暮らしへの憧憬があったからだろう。

鶴見には知の探究者としての柔軟性があった。理想を追求するあまり、現実をなおざりにするイデオロギー優先ではなかった。そこはバランスが取れていたのである。できるかぎり現実を直視しようとした。そこから導き出そうとしたのである。しかも、よりわかりやすい言葉遣いを心がけた。

政治的な鶴見の発言は、当時の日本の知識人の時代的な制約を免れなかった。そこをことさら批判しても、それは生産的な議論にはならない。まずは鶴見の残したテキストを読破することだろう。難解な言葉や表現を用いなくても、哲学をすることが可能だというのを教えてくれた鶴見は、日本では数少ない本当の哲学者であった。その死はまさしく巨星墜つなのである。

第八章　北一輝とは何者であったのか

北一輝が「一歩ヲ誤ラバ宗祖ノ建国ヲ一空セシメ危機誠ニ幕末維新ノ内憂外患を再現シ来レリ」（『国家改造法案大綱』）と警鐘を乱打した時代と今はあまりにも似ている。北一輝をファシズムの思想家や浪漫的革命家として決めつけるのではなく、禁断の書と呼ばれた北の著作の封印を私たちの手で解くことで、リアリスト革命家としての北一輝を蘇らせるべきときなのである。

二・二六事件と北一輝

昭和十一年二月二十六日、青年将校を先頭にして、下士官と兵を含めた一千四百数十名が武器を手に立ち上がったという事実は、歴史に深く刻み込まれている。

栗原安秀中尉らの歩兵第一連隊は首相官邸と陸相官邸、中橋基明中尉らの近衛歩兵第三連隊は高橋是清大蔵大臣私邸、安藤輝三大尉らの歩兵第三連隊は鈴木貫太郎侍従長官邸、斎藤実内大臣私邸、さらにその一部は杉並区の渡辺錠太郎教育総監私邸、所沢航空隊の河野寿大尉以下数名は湯河原の牧野伸顕前内大臣をそれぞれ襲撃した。

この決起を援護するために、野中四郎大尉指揮の歩兵第三連隊の一部は警視庁を占拠した。首相官邸を襲った栗原中尉の一隊は報道機関にも押しかけ、朝日新聞では活字ケースをひっくり返した。

これによって高橋大蔵大臣、斎藤内大臣、渡辺教育総監が殺害された。また、鈴木侍従長は一命を取り留めたが、重傷を負った。岡田啓介首相と牧野伯爵は危機一髪のところを救出されたのだった。

北はどこまで加担していたのだろうか。薄々気づいてはいたとしても、手を下すというよりも、黙認したと言っていいだろう。北がもし首謀者であったならば、もっと巧妙に計画されていたに違いない。

天皇陛下の御裁断を待つまでもなく、皇居を占拠して、外部から遮断することも実行に移しただろう。「天皇親政」に執着するあまり青年将校にはそれができなかった。

言うまでもなく、青年将校が決起した背景には、北の影響力があったことは否定できない。もう一歩踏み出していれば、北のいう「正義軍」として、権力を掌握していたはずだ。

北の思想の全ては理解されていなくても、青年将校を突き動かす力があったのである。だからこそ、革命家としての彼の評価が大事になってくるのである。当時の国家権力が北を恐れたのには、それなりの深い理由があったのだ。

そのラディカルさのゆえに、右翼民族派の陣営からも警戒をされた。中村武彦の『私の昭和史戦争と国家革新運動の回想』ではその辺の本音が語られている。北とその側近である西田税と自らの違いを明らかにすべく「両氏の考えていたことは日本の社会主義革命であって維新ではなく、天皇は革命に利用価値ある機関にすぎず、現人神でも統治権の主体でもない。処刑に臨んで、他の人たちはみんな天皇陛下萬歳を唱えているのに、この二人は拒否した」と突き放したのである。北と西田が刑死したことについては涙ぐんでも、あくまでもそれは情においてであった。

北は非常事態における権力のありかたを問題にしたのである。カール・シュミットが述べているように「法を破る力」としての「国家緊急権」や「革命権」の発動なのである。実定法を超越する政治における決断であり、民衆の蜂起なのである。大御心に従うのではなく、自分たちの意思が大御心として貫かれるのである。

北一輝は「露国革命ニ於テレニンガ機関銃ヲ向ケテ妨害的勢力ノ充満スル議会ヲ解散シタル事例ニ見ルモクーデターヲ保守的権力者ノ所為ト考フルハ甚タシキ俗見ナリ」（『国家改造法案原理大綱』）とまで書いたのである。

日米開戦が必至の情勢になりつつあるなかで、それを阻止するには、日本国内の不満を解消するために海外に目を向けるのではなく、昭和維新を断行することで、本当の意味での民主化を実現せんとしたのである。西郷隆盛が私学党の反乱に同調して自ら死を選択したように、北もまた青年将校の道連れになったが、それが本意ではなかったことは確かである。

北は「浪漫的革命家」にあらず

今は亡き松本健一が北を「浪漫的革命家」と評し、与謝野鉄幹や晶子の門下だったことにこだわるあまり、真実の姿を浮かび上がらせるのに失敗したのではないか。北はあくまでも実践家であった。口舌の徒の高等遊民をもっとも軽蔑したのである。

北ほどのリアリストはいなかったのである。佐渡に生まれたことで、孤島の悲哀を味わったのではなく、日本列島の周辺部に位置したことで、世界的視野が研ぎ澄まされたのではないか。幼い頃や青春時代にスポットをあてることで、北の思想を語ろうとすれば、かえって陥穽にはまることになる。

それよりも北のテキストを重視すべきだろう。北という人間を描き過ぎることで、リアリストとしての北の存在は脇に追いやられてしまうのである。今の世にあっても、北の著作は禁断の書である。

文学者の浪漫的な記述であれば、感動したかしないかが重要である。北の場合はその言葉が人を行動に駆り立てるのである。文学的な鑑賞に耐えられるかどうかではなく、革命を起こすためには、何が必要かを私たちに向かって、今も語りかけているのである。

松本のように情緒的な北一輝論を語るべきではないだろう。戦後民主主義の渦中で育った松本は、イデオロギーとしての北の思想に入れあげれば、すぐに「右翼」とレッテルを貼られる危険性があった。それを恐れるあまり、あえて「浪漫的革命家」と位置付けることで、正面からぶつかることを避けたのではないか。

北の天皇観を論じるにあたっても、自分の思いをそのまま北に移行させ、多弁を弄しているだけとしか見えない。北が心底から天皇主義者であったかどうかも、問うことをせずに、偶像として北を祀り上げただけなのである。

真の北一輝像とは

今、私たちが読み返すべきは滝村隆一の『北一輝　日本の国家社会主義者』ではないだろうか。滝村は前書きにおいて、近代的な思想家としての北一輝を取り上げている。滝村の表現は観念的で晦渋であるが、的外れなことを述べているわけではない。

「『国体論』から北の壮大な理論体系を再構成できる者にとっては、後の二部作『支那革命外史』と『日本改造法案』とを、それぞれの具体化として大きく位置づけることも可能である。そうして更に重要なことは、北における政治的実践への直接・間接の参与も、彼の理論体系の統一的な再構成を前提としなければ、とうてい正解不可能であるばかりか、殆ど意味がないということである。私はここで、いまだ誰一人として右の如き見地に到達した者が存在しなかったことを強調しておきたいと思う」

滝村のこの本が世に出たのは、昭和四十八年のことである。すでに、その当時において、滝村のみが本質を見抜いていたのである。松本健一以外であっても、桶谷秀昭は『土着と情況』において「北は社会主義者であったことはないし、そこからファシストになり下がったわけでもない。彼は孤立した土着の革命思想家として、日本のナショナリズムの命運に殉じたのである」と評した。

村上一郎も『北一輝論』の冒頭で「北一輝が、自体文学的な仕事とはかけはなれたところに立っていたにもかかわらず、今日彼をかえりみ、かつ彼について水準的な労作をなす者が、多く文学者ないしすぐれて文学者的な気質をそなえた思想者に限られているように見うけられることは、偶然でないと思う」と文学者扱いにしている。

日本のリベラルを代表する久野収も、鶴見俊輔との共著である『現代日本の思想』の「日本の超国家主義者――昭和維新の思想」で「反動的エネルギーから変革的エネルギーを引き出す道」を思案した思想家として位置付けたのである。

久野は「社会主義を日本で生かすためには、外国の社会主義の直訳や直輸入にたよっていては、ダメだ。これが、北の発想の第一の特色であった。そこから、社会主義を日本のナショナリズムにどうむすびつけるかの問題が出てくる」との見方を示した。

桶谷、村上、久野（久野はややスタンスが違うが）もまた、社会主義者としての北ではなくして、土着とかナショナリズムを問題視したのだ。そこから一歩も出ることはなかった。松本清張や田中惣五郎のように単純にファシストと決めつけるのよりはまともであっても、個人的な思いがまず先にあって、北の著作がそのために利用されたのである。

滝村の北へのアプローチは、それらとはまったく異なっていた。「北の理論体系を再構成することによってかなり明瞭に浮彫りにされてくる思想家北一輝の像は、いわゆる『日本的＝土着的』な革命思想家の像とは程遠く、むしろその対極に立つすぐれて〈近代的〉な思想家像である」と評したからだ。

滝村にも限界がある。「『日本的＝土着的』革命思想家北一輝像を根底的に止揚し、あわせて北の壮大な試みに対する厳正なマルクス主義の立場からの、明確な評価を与えることにした」との執筆意図は、未完に終わってしまったからだ。

『国体論及び純正社会主義』は革命の書

北一輝は学者であるよりも、革命家であろうとした。それを理解しなければ、その著作を真に解読したことにはならない。革命を実現する上での現実的な力になるかどうかが問題であったのだ。

北の処女作である『国体論及び純正社会主義』が世に出たのは明治三十九年のことであった。

北が二十三歳のときであり、自費で出版されたのだった。わずか一年で原稿用紙にして二千枚の大著を仕上げたのである。あえてそれを世に出したのは、革命家としての悲憤があったからである。

執筆にあたって北が利用したのが上野帝国図書館であった。松本健一は『評伝北一輝Ⅱ　明治国体論に抗して』のなかで、明治三十八年頃の北について「上野帝国図書館での北は、国体論批判と純正社会主義理論の論述のための最後のツメにとりかかっていた。かれの熱中ぶりは、まさに心血を注ぐといった形容がピッタリするようなものであった。不眠不休がつづいて、神経衰弱に陥ることもあった」と書いている。

無名の北には、引き受けてくれる出版社はなかった。あまりにも分量があり「社会主義」をテーマにした本を出すことは、当時にあっては大変な冒険でもあった。実際、北の処女作は一週間も経ないうちに発禁の処分を受けたのである。

明治政府は甘くはなかったのである。しかし、それは予想されたことであり、慌てることはなかった。文筆家や学者であれば筆を折られるのは致命傷となる。革命家の道を選択した北にとっては、かえってそれは誉れであった。危険な書であることで、北の名声は一挙に高まったからである。

神島二郎が『北一輝著作集　第一巻』の「解説」で書いている通りで「ポレミークたること」が重要なのである。だからこそ、北は「本書は専ら打撃的折伏的口吻を以て今の所謂学者階級に対する征服を以て目的とす」と高らかに宣言したのである。しかも、統一的な世界観を示すことで、革命の武器となることを目指したのである。

「緒言」で論点を整理

北は「諸言」で明確に書いている。「社会民主主義の前提として個人主義の充分なる発展を要す」「本書は其の主たる所が社会哲学の攻究に在るにも係らず、単に生物進化としての事実の発見として継承せられつゝあるものに整然たる組織を建てゝ凡ての社会的諸科学の基礎となし、更に目的論の哲学系統と結び付けて推論を人類の今後に及ぼし以て思弁的ながらも生物進化論の結論を綴りたるもの、始めてなる点に於いて、著者は無限の歓喜を有することを隠蔽する能はず」

北が力説しているのは、単なる思い付きではなく、時代の新しい思潮であった進化論に立脚している点である。日本人になじみがなかった進化論を咀嚼し、それで一挙に物事を進めようとする気負いが、若いから可能であったばかりでなく、革命家としての急く思いが北を駆り立てたのではないだろうか。それは変革の原理を考える上で、未来を見据えることであった。過去に逆戻りすることではなかったのである。

「著者は今の凡べての君主々権論者と国家主権論者との法理学を悉く斥け、現今の国体と政体とを国家学及び憲法の解釈により明らかにし更に歴史学の上より進化的に説明を與へたり。著者は潜かに信ず、若し本書にして史上一片の空名に終わるなきを得るとせば、そは則ち古今凡ての歴史家の挙りて不動不易の定論とせる所を全然逆倒し、書中自ら天動説に対する地動説といへる如く歴史解釈の上に於ける一個の革命たることに在りと」

北の北たるゆえんは、まさしくそこにあった。封建の世を抜け出した日本の明治国家の危うさを法理論の観点から解明したのである。

北をファシスト呼ばわりする根拠になったのが、持たざる国としての日本が、海外に勢力を拡大することを正当化した点にあった。勝ち負けは別にして、日本が世界国家の道を歩むならば、そこには衝突はつきもので、それを回避することは困難である。リアリストとして「万国の労働者団結せよ」とのスローガンとは無縁であった。

現在の世界を見れば、北の見方は誤っていなかったことを教えてくれる。日本はアメリカや中国、さらにはロシアといった覇権国家に囲まれ、どのように独立を維持すればよいか、重大な試練に立たされているからである。日本に北が望んだような政権が誕生したとしても、厳しい国際社会は存在しただろうし、北は現実から目をそむけようとはしなかったはずである。

首尾一貫する北の論理

北の論理は一貫しており、人々を奮い立たせるだけのものがあった。旧思想と決めつけたその当時の学界の大御所たちを、かたっぱしから批判した。

「今の大学教授輩の或者の如きは口に大学の神聖を唱へながら、権力者の椅子に縋り哀泣して掩護を求めるに至つては如何ともすべからざるなり」とまで罵倒したのである。

北は『国体論及び純正社会主義』を書き上げてから、その「緒言」を草したのではないかと思う。そこだけ読めば大筋を理解できるからである。問いが発せられれば、結論は容易に導き出せるのである。

これまでの評価の多くは、北をファシストと断定し、日本の忌まわしき時代と結び付けるのが常であった。しかしながら、北の処女作はすぐに禁断の書となったのである。明治国家の屋台骨を揺るがすようなことが書き記されていたからだ。もちろん、その時期までの北については、神島二郎のように評価する向きがないわけでもないが、それとても限界があった。神島は「いずれにせよ、社会主義者としての北一輝は、この著作の前後がピークであり、あとは思想的に簡素化の一途を辿るのみだったと私は見る」と解説するのが精一杯であった。

しかし、それはうがった見方でしかない。北がよく口にする「順逆不二」の言葉を出すまでもなく、神島も紹介しているが、北は『日本改造法案大綱』の第三回公刊の序文で「思想は進歩するなんど云ふ遁辞を以て五年十年、甚しきは一年半に於て自己を打消して恬然恥なき如きは、――政治家や思想家や文章家は其れでも宜ろしいが、――革命者として時代を区画し、幾百年の信念と制度とを一変すべき使命に於て生まれたる者の許すべきことではない」と書いているのである。

河上肇も『国体論及び純正社会主義』読んで心動かされたといわれるが、それはあくまでも「社会主義」の言葉が散りばめられていたからに過ぎない。ソ連のお仕着せの共産主義に入れあげていた者には、革命を成就するためには何が大切かの視点が抜け落ちていたのである。

さらに、「緒言」で北が「万事を否認することを以て任務とする革命家と云ふものに非らず」と述べていることから、松本は「かれは革命家をもって、みずから任じていたか。おそらく否である」（『評伝北一輝Ⅱ明治国体論に抗して』）と決めつけているのは、誤解もはなはだしい。

著作全体を通して北は革命家として一貫していたのである。その実現にあたって段階を踏んだだけなのである。残念ながら『国体論及び純正社会主義』を解説したまともな本は、未だ世に出ていない。わずかにエッセイ風な書き方をした高橋和己の『孤立無援の思想』に収録された「順逆不二の論理―北一輝」があるのみである。

滝村隆一の『北一輝　日本の国家社会主義』

北が『国体論及び純正社会主義』の「第一編　社会主義の経済的正義」、「第二編　社会主義の倫理的理想」、「第三編　生物進化と社会哲学」、「第四編　所謂国体論の復古的革命主義」、「第五編　社会主義の啓蒙運動」を踏まえながら、具体的な革命の道筋を書いたのが『支那革命外史』、

『国家改造案原理大綱』、『日本改造法案大綱』なのである。

北一輝の思想をトータルで考える上で、大いに参考になるのが前述した滝村隆一の『北一輝日本の国家社会主義』である。日本のマルクス主義者の陣営が総退却を余儀なくされていたなかで、あえて踏みとどまろうとした健気さが滲み出ている力作である。

「序論　日本の国家社会主義――高畠素之を中心にして」では、高畠の転向なるものが権力の圧迫からではなく、マルクス主義を学んだ者の論理的帰結であったこと容認しており、一定の理解を示したのである。

高畠がマルクス主義国家論の理論的欠陥を見事に暴いてみせたからだ。「遠き将来に対しては自由連合の無国籍社会を予想しているように見えるけれども、少なくともその予備段階として国家集中経済の過程を経なければならないとする点は、一切のマルキストに共通した見解となっている。即ちマルキシズムは、資本主義崩壊後の経済制度に対して、国家の存在と役割とを前提している訳である」(『マルクス主義と国家主義』)

国家の廃絶を主張しながらも、その実はソビエトでは国家権力を集中して計画化が進められたのを、鋭く突いたのである。滝村は高畠との関連のなかで北が浮かびあがらせたのである。

滝村は北の思想的卓越性を『国体論と純正社会主義』からピックアップした。北を単なる全体主義者扱いした神島二郎らを批判したのである。北が「社会民主主義は社会の利益を終局目的とすると共に個人の権威を熱烈に主張す。個人と云ふは社会の一分子にして社会とは其の分子其のことなるを以て個人即ち社会なり」と明言していることに触れ、滝村は「ヘーゲルやマルクスの文献を直接読んでいなくても、自分の頭で考えようとしている人間には、世の自称〝マルクス主義者〟などと違って、誤った先入観もないから、こういう実に弁証法的な把握ができるのである」と絶賛した。

その一方で滝村は、北が社会に対して個人を実体的に把握することを批判はしている。「人間的本質は、個々の個人に内在するいかなる抽象体でもない。人間的本質はその現実性においては、社会的諸関係の総体である」(「フォイエルバッハに関するテーゼ」)とのマルクスの言葉を重視するからである。

リアリスト北一輝の革命論

北がマルクス主義を射程に入れなかったのは、その必要性がなかったからではないだろうか。現実を変革する主体として自らを登場させるには、そうした理屈は意味をなさないからである。それを承知していたとしても、何をすべきかのテーゼに結びつかなければ、知的遊戯に終わってしまうからである。

それは私有財産に関しても同じである。切羽詰まった国民のために、夢物語を提示するほど北は愚かではなかった。「小作人と賃金労働者が剣の閃きに驚き起て団結の強力を作るとき茲に経済的貴族国は転覆して経済的平等の上に正義の神は現はる」（「社会主義の啓蒙運動」）とアジったのである。日本の農地改革は敗戦後に行われたのであり、そこで多くの小作人が自作農となったのである。

日本の国体についても北は自説を譲らなかった。「日本国民と日本天皇とは権利義務の条約を以て対立する二つの階級にあらず、其の権利義務は此の二つの階級が其の条約によりて直接に負担し要求し得る権利義務に非らず。約言すれば日本天皇と日本国民との有する権利義務は各自直接に対立する権利義務にあらずして大日本帝国に対する権利義務なり。例せば日本国民が天皇の政権を無視す可からざる義務あるは天皇の直接に国民に要求し得べき権利にあらずして、要求の権利は国家が有し国民は国家の前に義務を負ふなり。日本天皇が議会の意志を外にして法律命令を発する能はざる義務あるは国民の直接に要求し得べき権利あるが為にあらず。要求の権利ある者は国家にして天皇は国家より義務を負うなり」（「所謂国体論の復古的革命主義」）

進化論の上に立って天皇のあり方が変化したことを北は問題にしたのであった。滝村は君主国、貴族国、民主国の進化形態を北が取り上げていることから、それにつれて天皇の役割も変化し、第四段階としては北が「進化・発展すべきものと彼が秘かに構想していたであろうことは、まず確かといってよい」と論評したのは、勇み足のように思えてならない。北が、『国家改造原理大綱』の「巻一　国民ノ天皇」で、「憲法停止―天皇ハ全日本国民ト共ニ国家改造ノ根基ヲ定メンガ為メニ天皇大権ノ発動ニヨリテ三年間憲法ヲ停止シ両院ヲ解散シ全国ニ戒厳令ヲ布ク」と書いていることとの整合性が取れないからだ。

将来の存続が危ぶまれるような天皇であっては、それを押し立てて革命をする意味がなくなるからだ。北において、「天皇を利用する」とは、そのミステリアスなカリスマ、その影響力を考慮した上でのことなのである。

それを天皇の文化的な権威として形にしようとしたのが三島由紀夫であった。北のように進化という形ではないにせよ、ゾルレンとしての天皇は、変革の原動力になるのである。それを政治力学として熟知していたからこそ、あえて北は天皇を持ちだしたのではないだろうか。

革命政府を樹立するにあたって、あえて北がその受け皿を在郷軍人団にしようとしたのは、ロシア革命を意識していたことは否めない。「在郷軍人団会議――天皇ハ戒厳令施行中在郷軍人団ヲ以テ改造内閣ニ直属シタル機関トシ以テ国家改造中ノ秩序ヲ維持スルト共ニ各地方ノ私有財産限度超過者ヲ調査シ其ノ徴集ニ當ラシム。在郷軍人団ハ在郷軍人ノ互選ニヨル在郷軍人会議ヲ開キテ此ノ調査徴集ニ當ル常設機関トナス」（『国家改造原理大綱』）

在郷軍人は兵役に就いたことがあり、愛国心が旺盛であるばかりか、その大多数は労働者や農民である。それを味方にすれば、鬼に金棒なのである。組織的な動きにも慣れており、一糸乱れぬ統制があることに、北は眼を付けたのだろう。その点については、滝村は『国体論及び純正社会主義』での「純正社会主義は鵺《ぬえ》的社会主義の如く一私人の目的の為に為さるゝ専制を讃美する者にあらず……個人主義の覚醒を承けて僅少にして平等なる監督者を賢明なる選挙法によりて社会の機関たらしむる者なり」によって基礎づけられるという。北にとっての味方とは労働者や農民であった。彼らは兵役を経験することで、統一した国家像を描くことができるからだ。

北一輝を継承するのは誰か

日本の革命思想が姿を消してしまったなかで、滝村はその本の結びで「さしたる理論的・学問的研鑽もなしに、〈大国家主義〉と〈革命方式〉を核とする北の実践的見地を、神格化すべきではない。何故なら、その結果が、かつての日本の右翼への思想的回帰を必然化することは眼にみえているから」と批判している。

なぜにそこまで敗北主義にならなければならないのだろう。禁断の書扱いにするのでは、北一輝の思想に恐れをなしただけではないだろうか。時代の閉塞感はなお一層深刻になり、国際社会における日本の立場も微妙になってきている。

橋川文三は危機において日本人が錯乱することを危惧していた。「ともあれ私は、最近の三島がそのままかつての『尊皇攘夷』派に似ているように思っているが、いうまでもなくそれは冷笑の意味ではない。私は、およそある一つの文化が危機にのぞんだとき、その文化が『天皇を賛美せよ！　野蛮人を排斥せよ！』というのと同じ叫びをあげるのは当然だと思っている。とくに日本のような社会組織の有機的性格が濃密な地域では、危機への反射的対応はそれだけ強烈であるのは当然である」(『三島由紀夫論集成』「文化防衛論批判」)と日本人の危機への対応を予言した。丸山真男の弟子でリベラルであるはずなのに、橋川はどうして狼狽したのだろうか。錯乱者として三島を糾弾したつもりなのだろうが、その刃は橋川自身に向けられたのではないだろうか。橋川の晩年は酒を飲んで荒れていたともいわれる。戦後の言説に振り回され、最終的に自分たちを見失ってしまったのが日本のリベラルなのである。

しかしながら、驚くなかれ北は極めて冷静な立場に終始したのである。それは『支那革命外史』でも一貫していた。東洋的共和制しか支那では成立しないことを喝破したのは北一人であった。日米戦争を避けるべしとの信念においても首尾一貫していた。

古賀敬太の『シュミット・ルネッサンス』は北の思想を考える上で重要な手掛かりを与えてくれる。とくに特筆されるのは「第四章　シュミットの憲法制定権力論」である。そこで古賀は「冷戦崩壊後マルクス主義がもはや信じられなくなる中で、左翼の理論家はシュミットの政治・法理論の中に体制批判の理論的拠り所を求めようとした」と書いたのである。

その代表格がアントニオ・ネグリである。シュミットの「憲法制定権力」という保守的な面をそぎ落とし、スピノザの「構成的自然」で置き換えたのだった。「構成的自然」は「構成的権力」と呼ばれて、民主主義的な思想や母体に生まれ変わるのである。

シュミットの「憲法制定権力」のラディカルさに反応したネグリは、「構成的権力」として広い意味を与えることで、そこに創造的・革命的な役割を持たせたのである。「構成的権力は選択の行為であり、ある地平を切り開く確固たる決定であり、まだ存在していないことであるけれども、その存在条件そのものが創造的行為がその特徴を創造の中では失うことはないということを予見させるような何事かラディカルな装置なのである。構成的権力が構成的過程を発動させる時、すべての決定は自由であり、自由であり続ける」(『構成的権力―近代のオルタナティブ』杉村昌昭・斎藤悦則訳)。

そこで注目をされるのは「憲法制定権力」に注目したのが左翼の側の陣営であったことだ。既存の法や国家に縛られることがないために、革命の思想の根幹を担う可能性があるからだろう。

新たな革命の思想の復活を

今の日本の左翼やリベラルは、現状を変えることにかなり抵抗があるようだ。それを象徴するのが憲法擁護の情けない動きである。現実に世の中を変える力があるかどうかが問題なのである。それだけの思想であれば、ラディカルに再生させることも可能なはずなのである。

北一輝のテキストを読んでいくうちに、なおさらその思いを深くした。廃墟と化してしまった社会主義をもう一度復活させるとすれば、シーラカンスのマルクス主義でないことは明らかである。いくら夢がかなわなかったとしても、北が目指したもののなかに、いくばくかの希望が隠されているかも知れないのである。

もはや文学的な感傷によって北を論じるべきではないし、「日本を代表するファシスト」とのレッテル貼りで終わらせてはならないのである。北自身が文字にできなかった部分まで含めて、北一輝の著作を私たちは読み込むべきなのである。

第九章　いま、竹内好を読む——〈民衆〉と王道に根差す東アジア共同体へ

私が竹内好に共感を覚えるのは、最先端の思想よりも、前近代的な民衆の情念を重視するからである。このことを正面から論じているのが竹内の『国民文学論』なのである。新たなる竹内好像を打ち立てることで、失われた民衆ナショナリズムを取り戻すべきではないだろうか。中国の脅威はなおざりにはできないが、さりとてアメリカニズム一辺倒であっては、日本は日本でなくなってしまうからである。

もはやマルクス主義が墓場に追いやられてしまって久しい。妖怪として震撼させる力がなくなった現在では、左翼の旗頭であった竹内の思想を単になぞるのではなく、「脱構築」せざるを得ない。竹内のラディカリズムに着目し、その核心部分において新たな展開と方向性を大胆に提示するのである。そうでなければ懐古趣味に終わってしまうからである。

竹内が「今日、私をふくめての日本の民衆は、身分上はドレイではなく自由人である。近代市民といってもいい。しかし、その近代市民のなかに多くの前近代的なものが残されている。このことは各方面から指摘された。日本の民衆をとらえるには、庶民という呼び名がいちばんふさ

わしいという説には、きくべきものがある」（「日本の民衆」）との観点は、未だに色あせておらず、近代主義者が好んで口にする「市民」というのは、実体のない抽象的な言葉と言わざるを得ない。

現在の日本の左翼の言説が空々しいのは、近代社会の「市民」という言葉に固執しているからである。思い起こすべきは竹内の次の文章ではないだろうか。

「近代市民の尖端だけをとらえて、それで全体を包括するのは、たしかにまちがっている。それは実際的ではない。近代市民を出発点にして革命のコースをえがくことはできない。伝統の影をもった庶民の、うしろ向きの暗さの底をかいくぐって、そこからエネルギーを引きだすのなければ、革命は成らないだろう」（「同」）

竹内が念頭に置いているのは革命の主体としての「民衆」である。民衆の属性として「直接の生産にたずさわるもの」、「支配権力から閉め出されている」、「多数ということであろう」、「幾重にも内部対立している」の四つを挙げている。

そうした現状認識を踏まえつつ、主体を形成するにあたっての前提条件として、竹内が第一に掲げるのが「官僚主義の克服」である。そこで問題にされるのは、労働者階級のことである。民衆から労働者階級が支持されないのには、それなりの理由があるからだ。

「今日、労働組合の組織率はかなり高いだろうと思う。これは結構なことである。しかし一面において、組織率の高まることが逆に官僚主義をますます民衆へ滲透させる働きをしていることも見のがしてはならない」（「同」）と述べ、「平組合員から、専従者になり、幹部になり、国会議員になるという立身出世コースが引かれていて、好むと好まざるとにかかわらず、その影響をこうむっているのが現状ではないか。これは一部のボス化した労働貴族だけのことではない」(「同」)と批判したのである。自己完結的な組織に満足し、そこで「立身出世のコース」に乗るかどうかが最優先されている。ナショナルセンターとして一九八九年に結成された連合はその典型である。

それでは他の組織や民衆個人との横のつながりなどできるはずがない。竹内は「官僚主義」の労働組合を手厳しく断罪した。竹内は議会主義を否定したわけではないが、国会議員になることが最終目的である悪弊を見抜いたのである。立憲民主党は旧総評系、国民民主党は旧同盟系、共産党は全労連をそれぞれ支持母体にしている。何をするかではなく、論功行賞で国会議員のポストがあてがわれる。そうした労働組合に依存しているから、野党は国民にそっぽを向かれるのである。

それ以外にも竹内がこだわったのは、汗して働く者たちへの共感である。「生産とはなれた労働者は本来の意味での労働者ではない」わけだから、絶えず「民衆の一分子」であることを肝に命じなくてはならない。本来の役割とは違って、自分たちの既得権益を守るのに必死になっているのが労働組合なのである。自分たちの地位や所得が保障されればいいのである。非正規雇用の増大にストップをかけなかった責任は重大である。竹内は魯迅が語った「人民はつねにその血で権力者の手を洗う」という有名な言葉を引き合いに出しながら、「いちばんしいたげられている人間が選挙のときは自由党に投票するのである。彼らのねむった意識を目ざめさせてやるのは、民衆のなかのすでに目覚めた部分の役目である。ところが実際は、官僚主義がそれをさまたげる」（「同」）として、労働組合を痛烈に批判したのである。

危機を知らせるカナリア

竹内は昭和五十二（一九七七）年に死去した。一九九一年のソビエトの崩壊や、一九八九年の天安門事件まで生きていたならば、ドラスティックな転向を迫られたのではないだろうか。夢は無残にも打ち砕かれたからである。しかし、それでもなお評価されるべきは、自分とは意見が異なる者たちに対しても、反動や反革命とレッテルを貼って裁かなかったことである。共通のベースを確認しようとする謙虚さがあった。前衛党による外部注入説にも与しなかった。竹内は「民衆は不断に形成すべきものであって、それを形成するものは、ほかならぬ民衆自身である」（「同」）との哲学を持っていた。未来に向かっての方向性も民衆自身が決めるべきなのである。

また、竹内が思想家として際立っているのは、明晰性のゆえではない。日本民族をテーマにしたからである。そこでは右左などどうでもいいことだ。とくに胸を打つのは、日本ロマン派の保田與重郎がそうであったように、危機を告げるカナリアとして警鐘を乱打したことだ。炭鉱で異常事態を知らせてくれるのがカナリアである。それを察知するやいなや、鳴き声がやむからである。アメリカの占領によって、日本全体が欧米化することに二人とも危機感を抱いていた。それに対抗するために、アメリカニズムを終生の敵とした保田と、伝統を重視する点では竹内はスタンスを共にした。

「大衆の心情に訴えるものは、かならず伝統的な形式をもつが、これを固定した形式として、利用すべき手段として取り出すことは、まちがっている。大衆は、国民的に解放されることを望み、そのための自己変革を願っているのだから、むしろ一面では伝統からの断絶が要求される。そして断絶のためには、それ自体として断絶しようもない伝統が必要なのである」(「国民文学の問題点」)

戦後の早い時期は、それこそ「青い山脈」の歌に象徴されるように、明るい時代の到来であったと喧伝されてきた。しかし、竹内はそうは思わなかった。「滅亡」という言葉を使わざるを得なかったのである。竹内はいかに生きるべきかを抜きにして、文学を語ることに疑問を呈した。国民道徳の興廃を嘆く憂国の志士でもあった。「文学者にそのような期待をかけるのは間違っている」との反論があることを認めつつも、「もしいまの場合、日本民族の滅亡がかけられているとしたら、それでも文学は局外中立を保てるだろうか。いかに純粋な文学でも、民族とともに生き、ともに滅びる。道徳の荒廃は、インフレーションのようなもので、見かけの好景気は信用できない。道徳の荒廃の上にさかえる文学は、蓄積を浪費しているだけであって、いつかは縮小再生産によって自身が破滅するにきまっている。文学の自立性とはそんなものではないはずだ」(「同」)と訴えたのだった。

アメリカの占領政策が及ぼした深刻な事態を、遠回しながら竹内は皮肉った。骨のある本当の左翼は、アメリカが押し付けた価値観に媚び売るようなお花畑ではなかった。逆に〝美文〟の代表的な例として憲法を問題視したのである。「あれを作った人たちは、けなげにも文章としての第一級のものを作ろうと決心した。そのため、それを守ることは、作ることと別だと考えたわけだ。守る決心もせずに、守れるか守れないかを考えることもせずに、ともかく文章として完璧であること、世界のどこに出しても恥ずかしくないことを目標にして、あれを書いたのだ」(「美文意識について」)と断言してはばからなかった。

憲法が日本に定着するなどとは思っていなかった。美辞麗句を連ねているだけである。民衆の生活から遊離していることを、早い段階で認識していたのである。日本人による憲法制定を望むのでなく、戦術的には護憲運動に加担することになったのは、その当時の日本を取り巻く環境が逼迫していたからだろう。

中国大陸を追われた国民党は台湾に移り、日本は蔣介石の中華民国と日華平和条約を調印し、中華人民共和国を国家として認めなかった。朝鮮戦争は終結したとはいえ、東アジアでも冷戦が厳しさを増していた。日本の左翼にとっては、憲法九条を楯にして、日本の再軍備を阻止することが至上命令であった。そういった事情があって、竹内は変節を余儀なくされたのである。独立国家として軍隊を保持することは当然であっても、アメリカの傭兵になることだけは、断じて避けなければならなかったからである。

近代主義に与せず

竹内は「近代主義と民族の問題」においては、ナショナリストとしての立場を明確にしている。「マルクス主義者を含めての近代主義者たちは、血ぬられた民族主義をよけて通った。自分を被害者と規定し、ナショナリズムのウルトラ化を自己の責任外とした」との言葉は、あまりにも衝撃的であった。そして、臆することなく「『日本ロマン派』を倒したものは、かれらではなく外の力なのである。外の力によって倒されたものを、自分が倒したように、自分の力を過信したことはなかったろうか。それによって、悪夢は忘れられたかもしれないが、血は洗い清められなかったのではないか」と断じたのである。注目すべきは、竹内はマルクス主義者を近代主義者に含めていることだ。自らの立場をマルクス主義と別に考えており、反近代の側に身を置いたのである。

竹内はかつて日本ロマン派の前身である「コギト」の同人に名前を連ねていた。その周辺にいたことは確かであるが、それで弁護を買って出たわけではない。近代主義に迎合できない民衆の情念のパトスに、変革のエネルギーを見出さんとしたのである。ナショナリズムをそうした観点から論じるのは、左翼では少数派である。民衆やナショナリズムに理解を示したのは、せいぜい吉本隆明や色川大吉あたりであった。

『国民文学論』が世に出たのが昭和二十九年であった。竹内の主張を検証すべく、桶谷秀昭が『土俗と情況』を世に問うたのは昭和四十三年である。それから日本ロマン派の見直しが進み、今日に及んでいる。あえて竹内がマルクス主義者を含めて、近代主義者に異を唱えるのは、過去から培った日本民族の伝統を否定し、アメリカニズムに飛び付く風潮に与しなかったからなのである。

「日本文学の自己主張は、歴史的には、『日本ロマン派』が頂点をなしているが、それが頂点のまま外の力によって押し倒されて、別の抑えられていたものが出てきたのだから、このことは当然といいえばいえる。これは現象的には、学問の流派としての『国文学』の衰えたことと同一である」(「近代主義と民族の問題」)

竹内は民族主義の空白を埋める手立てを、戦後の日本のインテリが怠ってきたことに警鐘を鳴らしたのだった。日本ロマン派を過去の遺物として否定できないのは、彼らが近代の否定をイロニーとして提出したからで、その点を考慮せずして断罪するのは、本末転倒だというのだ。竹内は日本ロマン派を全面的に肯定するわけではない。それを起点としながら、新たな展望を拓こうとしたのである。そのために日本ロマン派の功罪を問おうとしたのである。「日本ファシズムの権力支配が、この民族意識をねむりから呼びさまし、それをウルトラ・ナショナリズムにまで高めて利用したことについて、その権力支配の機構を弾劾することは必要だが、それによって歪められた人間像を本来の姿に満したいという止みがたい欲求に根ざした叫びなのだ」(「同」)

その問題意識は正しい。だが、竹内の限界は「アジアのナショナリズム、ことに典型的には中国のそれは、社会革命と緊密に結びついたものであることが指摘されている」と共産中国を弁護したことにあった。小田切秀雄との対談「国民文学論の深化」でことさら中国を持ち上げたことも、竹内にとっては陥穽であった。しかしながら、それだけで鬼の首を取ったように断罪するのは、あまりにも酷ではないだろうか。ヨーロッパ的な個人主義とは異なって「全体の連帯の中で初めて個人の自由が成立つということが発見されてきたわけです」と力説したのは、自らの理想を投影しただけであり、どこまで実現されるかは、あくまでも結果論でしかないのである。

文化大革命の意義とは

面白いことに、毛沢東の中国に関しては、日本ロマン派の保田與重郎も『日本浪漫派の時代』で称賛するようなことを書いている。竹内と保田の主張が響き合っており、左右のイデオロギーを超えた一致点がある。

「日本の新聞紙の報道では、紅衛兵の殆どは、今は偏遠の荒野の地へ移送され、そこの開拓の労働に従っている。再建された学校では、貧農を先生として、学生も先生も再教育される。この学生はいつでも労働者であり。また兵士である。こういう運命を使命と覚悟して、紅衛兵の少年少女らは、何百何千里の道をあるものは徒歩で北京へ集ったのであろうか。この事実だけは、精神を無くした現在の日教組的教師やその影響下の共産主義的学生生徒にも、肉体と本能面でわかると思ふ。わが国の今日の学生や教師は、貧農を先生とする再教育下、労働者となったり、兵士となる覚悟を少しでも考へて行動してゐるのだろうか」

そうした保田の考え方は、竹内の日教組批判と寸分も違わない。竹内は日教組が発表した「教師の倫理綱領」に関して噛みついた。第一條では「教師は労働者である」と述べていた。それ自体に文句を付けたわけではないが、その解釈に異議を唱えたのである。労働者として一括りするのではなく、あえて日教組サイドが「その労働が肉体的であるか、より頭脳的であるか、または雇用者が会社であるか、政府であるかの違いのみである」(『日本の民衆』)との見解を示したことが許せなかったのだ。

竹内は「生産とはなれた労働者はもはや本来の意味で労働者ではない」と断言している。労働者であることは、生産者であることと同義語である。労働に肉体的とか頭脳的とかを分けるのは、明らかに差別である。「教師が労働者であるのは、私の考えによれば、彼が直接の生産に有機的に結びついた部分を構成するからである。つまり民衆の一分子だからである」(『同』)との視点は、マルクス主義者も含めた近代主義者へのアンチテーゼなのである。

文化大革命ではかなりの犠牲者が出たといわれているが、知識人と末端の労働者が逆転したというのは、文明史的にみても未曾有の出来事であった。近代の産物であるマルクス主義は、レーニンに代表されるように、前衛党の役割を重視した。エリートなしには、革命は成就しないとの思い込みがあった。それを容認しなかったがゆえに、近代主義の一つであるマルクス主義に背を向けたのが竹内なのである。その一方で毛沢東を偶像化してしまったのはなぜだろう。『日本とアジア』に収録された「アジアのナショナリズム」では、無邪気な少年のように毛沢東思想の正しさを書き綴っている。

「毛沢東思想の中心は、おそらく根拠地の思想であろう。根拠地とは、一種の古代的ユートピアの伝統をになった、生活共同体の単位であって、それ自身に生成発展する者である。かつての解放区がそれであり、解放区の全国化である今日の中国もまた、世界の平和と希望の根拠地となる」とまで持ち上げた。「西欧への反抗と諦念」に立脚したアジアのナショナリズムから、竹内は「一度は西欧に追従することによってアジアのナショナリズムを見失った日本が、再生の途上で発見すべき課題であろう」とまで言い切り、毛沢東思想から日本も学ぶべきことを説いたのである。

それはまた、保田のアポリアでもあった。二人とも文化大革命に壮大な人間のドラマを見ようとしたのは、底知れぬアジアの民衆への憧憬があったからだろう。それはシモーヌ・ヴェイユに近いものがある。「事物をあやつる人びとより言葉をあやつる人びとが優位を占めるという状況は、人間の歴史のあらゆる段階にみいだされる。付言すべきは、総体として、祭司または知識人といった言葉の組合せや組立にたずさわる人間が、つねに支配者の側、つまり生産者の側に立ってきたことである」(『ヴェイユの言葉』冨原眞弓編訳)

竹内が問題にした民衆というのは、間違ってもインテリではなかった。「私自身がその一人である民衆について、しかし、民衆と一体では決してない、民衆と異質なものをふくんでいる私が、何を、どう考えたらいいのか。自分のことを考えればいいのか、それとも、自分をタナにあげて周囲のことを考えればいいのか、その両方を何かの操作でまとめるべきなのか、どうもよくわからない」（「日本の民衆」）と本音を吐露したのである。

民衆に息づくアジア

竹内の悲痛な叫びは、忘れられた詩人である谷川雁の叫びでもあった。六〇年安保闘争を前にして、社会主義の陣営を支えた膨大な「無教会派」の可能性を探った谷川は、社会党や共産党とは異なる民衆の側に立った。

「彼等は現状批判者を批判するたしかさの上に立ち、まだ高度な建設の経験がなく、さまざまの地点で無数の小さな沼を作っているにすぎないが、この太陽黒点は増殖しつつある。革新諸党の教条に目もくれず、労組幹部の観念と衝突し人間くさい下部に場を求めて絶えず触手をのばし、『生命の起源』に似た自己運動を繰り返しその交流の局面はゆるやかに進んでいる」（『原点が存在する』）

民衆の底に降り立ち、そこから出発しようとした谷川は、当然のごとく中国に目を向けるようになり、「毛沢東の詩と中国革命」の一文を書くにいたったのである。谷川の詩的な文章は、アジアにおける革命家として、マルクス主義のはみ出した人物として描写している。「辺境こそ首都である」との革命的な転倒は、欧米では考えられないことである。それが中国革命の原動力となったことに注目したのである。

「延安洞窟内の毛沢東――そのイメージは現代史のなかで、つまり、さまざまな技術の発展で表示される文明の蚤の市において、爆発するような力をもって孤立している。どのように歪曲しようとも、彼らから荒野の聖者というまぼろしを引きだすことはできない。彼は文明の真の焦点を東洋の無名の町や村々の土壁に築いた人間である」(『同』)

民衆を自分の言葉で語ろうとすると、煩悶することとなり、矛盾を背負う羽目になる。唐突な意見を吐くことにもなったのである。毛沢東を讃えた竹内や谷川の言説に同意する人は令和の世では皆無に近い。しかしながら、日本の民衆を言葉で表現しようとすれば、必ずといっていいほど「東洋の無名の町や村々の土壁」がイメージとして目の前をよぎることはよく分かる。欧米とは無縁な共同体的感情を追い求めようとすれば、日本人にとっては中国しかないからである。「辺境こそ首都である」というのは、西洋へのアンチテーゼである。実際の中国共産党の歩みは幻滅の連続であっても、谷川の詩人的な感性が否定されるべきではないのである。

六〇年安保闘争の渦中で竹内が書いた「民主か独裁か」もその域を出なかった。「民主か独裁か、これが唯一最大の争点である。民主でないものは独裁であり、独裁でないものは民主である。

中間はありえない」と訴えたのは、根拠のない絶叫レベルであった。しかし誤解を恐れずにあえて「民主」を持ち出したのは、民衆のなかに眠っているナショナリズムに火を付けようとしたからだろう。単なる民主主義の擁護というレベルにとどまらず、もっとその先を目指そうとしたのである。

革命家北一輝とは同根

親中派文化人としてみられがちな竹内にこだわるのには、それなりの理由がある。竹内の見果てぬ夢を言葉にしたいからである。北一輝の『支那革命外史』を日本人の中国研究の卓越した書として評価した竹内は、自らの思想的根拠について、北を論じながら開陳したのだった。

「今日から見ると、彼の予見はほとんど全部まちがっている。まちがっていることが大切なのだ。現象を説明するのでなく、歴史を生きた記録だから」(「北一輝」)と弁護するとともに、「北一流のパセチックな文体の抵抗を辛抱しきれる人なら、当たらなかった予見の奥に一つの真理を発見するだろう。それは一口にいうと、日本と中国との運命共同体の実感的把握ということである。北の予見は当たらなかったが、それは今日いえることであって、仮りに十年か二十年後になってみれば、いまの日本人の中国観より北の方が正しくなるかもしれないのである」(「同」)と予言したのである。

竹内は北を語ることで、自らを語ったのである。日本を変革するためには、中国が変わらなければならず、そのために北は、身を挺して辛亥革命に馳せ参じたのである。義俠心からの行動ではなく、考えつくされた末の選択肢であった。近代主義のマルクス主義に違和感を抱く点でも、竹内と北は共通していた。革命の原動力をナショナリズムに求めたのは、それ以外に変革のエネルギーは引き出せないからである。

現在の中国は共産党の支配下にあるとはいえ、上層部は近代主義に毒され、アメリカの金融資本との結託すら取沙汰されている。毛沢東に入れあげた竹内が生きていたならば、あまりの現実に茫然自失となるに違いない。しかしながら、アメリカが掲げる普遍的価値観が世界を席巻することが幸せなのかどうかは、意見が分かれるところだ。未だに日本はアメリカから真の意味での独立を果たしていない。北が問題にした「日本と中国との運命共同体の実感的把握」は、日本のインテリには理解できない民衆の素朴なる感情なのである。

大東亜戦争中の竹内は「太陽に向かって矢を番（つが）う者は、日本其者《そのもの》と雖も天の許さざるところなり」という箴言を愛用したという。北の『支那革命外史』に出てくる言葉である。日本と中国は運命共同体でなくてはならないとの確信は、竹内にとって「天地の正義」であったのだ。

梅棹忠夫の「文明の生態史観」では、日本とアジア大陸の中心部との違いが強調されている。アジアよりも西欧との共通性が取り上げられ、多くのインテリが脱アジアの方向に踏み出す大きなきっかけとなった。日本のインテリが学ぶのは英語が主流で、ついでフランス語、ドイツ語などである。欧米の思想を翻訳するだけで一端の学者として認められるのである。どこを見渡しても、夏目漱石の『坊ちゃん』に登場する「赤シャツ」ばかりなのである。そうした風潮と合致するのが「文明の生態史観」であり、脱アジアの教典ともなったのである。インテリにとってはアジアよりも欧米なのである。

竹内が大東亜戦争に一定の意義を認めたのは、欧米を向こうに回したからである。時の日本の政治指導者や軍部の手垢に汚れた大東亜共栄圏に賛同したわけではなかった。それは名ばかりであって、竹内も言及しているように、アジアとの連帯を訴えた、中野正剛の東方会や石原莞爾の東亜連盟は弾圧されたのである。それでも、竹内は民衆が主体となった東アジア共同体に向かっての一里塚になればと思い、大東亜戦争を是認したのである。日本が敗れてからも、その根本は変わらなかった。いかに竹内の政治的な発言が陳腐であり、表面的には、丸山真男らの進歩的文化人と大差がなくても、書かれたものを丹念に読めば、書き切れなかった竹内の思いが伝わってくるはずだ。北と同根であるばかりか、日本ロマン派そのものなのである。

困難を排し新たな〈東アジア共同体〉へ

今の日本で声高にいわれているのは中国脅威論である。そのことはまさしく現実であって、尖閣諸島ばかりか、沖縄まで中国が手に入れようとしているのは、覇権主義以外の何物でもない。

中国共産党の手先か、それに加担する者でなければ擁護するのは難しい。しかし、だからといって私たちはアジアを見捨ててよいのだろうか。立ち止まって考えなくてはならない。竹内や北の立場を踏襲するならば、欧米が主張する普遍的な価値観によらない民主主義を模索すべきだろう。そのためには、中国国内で圧政に喘いでいる人たちに連帯して、かつて北が命を賭けたのと同じように、変革を後押ししなくてはならない。それが日本を変えることにも結び付くのである。竹内は『支那革命外史』序の北のアジテーションに心揺さぶられたに違いないが、もう一度私たちも読み返すべきだろう。

「経文に大地震裂して地湧の菩薩の出現することを云ふ。大地震裂とは過ぐる世界大戦の如き、来りつゝある世界革命の如き是れである。地湧菩薩とは地下層に埋るゝ救主の群といふこと、則ち草沢《そうたく》の英雄下層階級の義傑偉人の義である。——支那は十年前の十月十日、清末革命の本義を徹底せんが為めに禹域四百州の大地今将に震裂せんとして居る。露西亜の大地震裂に際して地湧の菩薩等は不動尊の剣を揮ひ不動尊の火を放った。露西亜と同じき中世的制度と中世的堕落を持てる支那は、露西亜の救はれつゝある途を踏むことに依りてのみ救はるゝ」

北は中国の共産化を早い段階から予言していた。アメリカ型の孫文流の民主主義ではなく、現代の「オゴタイ汗」である毛沢東によって革命が成し遂げられたのである。北が「孫逸仙の米国的理想は革命党の理想にあらず」と喝破した通りであった。『支那革命外史』が世に出たのは大正十年八月のことであった。大東亜戦争後に毛沢東が統一した中国は、社会主義国家陣営に加わったが、ソ連共産党としっくりいかず、独自の歩みをする以外になかった。経済的には資本主義を選び、政治体制は社会主義にとどまっている。その矛盾が爆発したのが一九八九年の天安門事件であった。「地下層に埋る、救主の群」は、必ずや決起することになるだろう。その勢力と日本は組まなければならないのである。

竹内が嘆いていた通りで、戦後の日本はアメリカに骨抜きにされてしまった。覇権国家ではなく、中国が王道国家に生まれ変われば、東アジア共同体は夢物語ではなくなるのである。今後の世界はアメリカの一極支配が確立されるか、さもなければ多極化構造になるかの二つしかない。EUのようにまとまった連合体がアジアに出現することは、アメリカに対抗する意味からも必要である。ただし、現在のままの中国では、日本は属国化され、チベットやウイグルと同じ運命を辿ることになってしまう。だからこそ「地下層に埋る、救主の群」にエールを送るのである。中国の革命が成功するかどうかが、日本の命運を左右するのである。

悪名高い東京裁判はアングロサクソンの普遍主義で裁かれたのである。大東亜戦争を決断した日本指導部を裁くのは、日本の民衆の手によって行われるべきであった。外国の手を借りるべきではなかった。国家の利害の衝突である戦争に、英米流の正義を持ち込むべきではなかった。

竹内の中国観に問題があったことは否めないが、あくまでもそれは時局的な発言でしかなく、本来の竹内の思想的な核心の部分ではない。「国がほろびるときは、文学者はただ亡国の歌をうたえばいい、かれはただ、満腔の熱情をこめてそれをうたえばいい。しかし、いまからそれをはじめるのは少し早すぎはしないかと私は思う」（「亡国の歌」）という一言が重要なのである。竹内からすれば、アメリカニズムに屈することは日本が日本でなくなることであった。それは同時に、中国との絆が切れることでもあった。アメリカという国家が多民族で形成されており、そこに一つの州として加わることも不可能ではないだろう。日本語を用いることがグローバリズムの障害になるのであれば、子供の頃から英語を学ばせる方がより最善の策である。それが実行に移されれば、日本民族は消滅して跡形もなくなるだろう。日本を取り戻すためには、中国との関係を抜きにしては不可能なのである。

現状の中国のままでは組めなくても、相手が生まれ変わるのであれば、提携をためらってはならない。そこまでいくには、お互いの意見が衝突して、一時的には軍事的な緊張が高まることもあるだろう。日本は下手な妥協をすべきではないが、竹内や北の思想の根底に流れるものを絶対に忘れてはならない。「日本と中国との運命共同体の実感的把握」との確信を見失しなわなければ、いかなる難局も乗り越えられるはずだ。多くの日本人の意見は脱アジアに向かっている。中国の脅威がある限り、簡単には流れを変えるのは難しい。だからといって、アメリカニズムのままでいいのだろうか。「前門の虎後門の狼」という諺があるように、アメリカべったりもまた危険なのである。

竹内は上から目線の思想家ではなかった。「いきおい、私の書くものは、あまり学問的でない。かなりに思弁的な、独白めいた私評論風の感想に終わるにちがいない」（「日本の民衆」）と述べていた。独白というのは謙遜であって、日本人一人ひとりと対話することを望んだのである。日本の民衆が根底においてアジアと結びつくことを教えてくれたのが竹内であった。いかなる困難があろうとも、東アジア共同体へ向かって歩を進めるべきなのである。そのためには中国が変わることが前提でなければならない。辛亥革命に加わった日本人がいたように、民主化を求める中国の民衆への協力を、私たち日本人は惜しんではならない。アメリカの一極支配に対抗するには東アジア共同体で結束する以外になく、そうでなければ、竹内の言を待つまでもなく、日本民族はアメリカニズムによって滅亡するしかないのである。

第十章　会津が生んだ天才——小室直樹の人と思想

小室直樹は、会津武士の血を受継いだ天才思想家であった。村上篤直さんの『評伝小室直樹上学問と酒と猫を愛した過激な天才』を読んでみて、なおさらその思いを強くした。

天才といわれたのは、当初は数学の世界に身を投じながらも、経済学、政治学、社会学の多方面にわたって業績を残したからである。アカデミズムにとどまらずに、私のような一般大衆にまで影響を及ぼした功績は大なるものがある。

アカデミズムの世界で小室が注目されたのは、昭和四十一年十月と同年十二月の岩波書店の『思想』に「社会科学の一般理論の構築（上）」と「社会科学の一般理論の構築（下）」が掲載されたからだ。

当時の小室は東京大学大学院法学政治研究科の博士課程に在学中であったが、新進の若手思想家としてデビューを飾ったのだ。前年三月に小室は、丸山真男に提出した「権力の一般理論」で政治学修士号を取得している。戦後日本の思想界をリードしたのが丸山である。そこで認められたということで、三十代初めの小室は前途洋々たるものがあった。

一躍時の人となった小室は、同じく『思想』に昭和四十三年二月から昭和四十四年三月にかけて全五回「社会科学における行動理論の展開」を連載し、それでもって、昭和四十五年七月には、日本社会学会が若手研究者の奨励賞として設けられた第一一回城戸浩太郎賞を受賞した。

会津高校の卒業生

小室が城戸賞をもらったというのは、昭和二十六年に卒業した先輩ということもあって、会津高校在学中の私の耳にも入ってきた。私の三年生のクラス担任の英語の教師が、小室の会津高校時代の同級生であったために、時間があると、決まって小室の話をした。書かれているが、京都大学に受験に行ったおりに、金を取られたか、無くしたかして、会津まで歩いて帰ってきたということや、家が貧乏で飯が食えなくて、芋ばかり食っていたとか、頭を剃ってメンタムを塗っていた、といったエピソードを語ってくれた。

岩波の「思想」に掲載された論文は、あくまでもアカデミズムの世界のことだが、ジャーナリズムの世界でも知られるようになったきっかけは、「エコノミスト」の昭和四十五年一月号に載った『社会科学革新の方向』によってであった。同年十月には、TBSの『人物』で小室が取り上げられ、「がんばれ　るんぺん先生」とのタイトルで紹介された。東大の田無寮に住んでいた小室が、一躍時の人となったのである。

小室の出自と学問

小室が生まれたのは、現在の東京都渋谷区神宮前で、戸籍上は昭和七年九月九日となっているが、『評伝小室直樹上　学問と酒と猫を愛した過激な天才』の筆者である村上篤直さんは、生年月日に疑問を呈している。もっと早く生まれていた可能性があるというのだ。小室が母親チヨと河沼郡柳津村で暮らすようになったのは、昭和十七年になってからで、父親の小室隆吉は、昭和十二年にはこの世を去っており、東京の食料事情が悪化し、空襲の危険性がたかまったために、母親の実家に身を寄せることになったのだ。柳津村国民学校に編入したが、小室はかなり大人びていたようで、同級生を子ども扱いにしていたという。

小室が柳津村国民学校を卒業し、会津中学に入学したのは昭和二十年四月。戦後の学制改革もあって、会津中学と会津高校の両方で学ぶことになる。

小室が昭和二十六年四月、京都大学の理学部に合格したのは、昭和二十六年四月。専門課程で数学を専攻した。小室が数学をマスターしたことで、経済学や政治学、さらには社会学の分野で新たな学問の領域を開拓することになったのである。数理経済学が注目を集めるようになってきていたこともあり、その分野のパイオニアであった、市村真一に私淑することとなったのだった。

小室が京都大学の理学部数学科を卒業したのは、昭和三十年三月である。引き続いて四月には大阪大学大学院経済学科修士課程に入学。市村が大阪大学の社会科学研究所に招かれたので、小室も一緒に付いて行った。社会学ばかりでなく、経済学者としても知られた高田保馬が初代所長となり、京都大学の市村と森嶋通夫を招聘して、一躍日本の数理経済学の牙城となり、大阪大学社研が経済学をリードした時代があったのである。

国士市村真一の弟子

小室は市村を通して、平泉澄《きよし》の教えを直に受けることになる。東京帝国大学の国史の教授であった平泉は、大東亜戦争の敗北もあって、アカデミズムを追われた。しかし、その門下生たちが日本の再生を果たすために、平泉の許へ集まっていた。とくに市村は敗戦の報に接し、自刃しようとした国士で、平泉を師として仰いでいた。平泉が昭和二九年に千早鍛錬会を再開すると、小室も参加して、市村ばかりでなく、高弟である鳥巣通明、田中卓、村尾次郎から、日本の国柄の精神を叩きこまれたのだった。

率先して参加したのは、皇室を重んじる会津精神が小室の血には流れていたからである。小室は「母方は会津の士族」と公言していたが、そのことを裏付ける位牌が今も残っている。チヨの祖父の寅像（蔵）の死亡年月日の昭和二年二月十九日の下に、会津藩士と書かれている。会津藩士の末路は哀れなものがあった。農家の養子となって、苗字を変えて野に埋もれた人も、かなりの数にのぼったといわれる。小室の母のチヨは、祖父寅蔵から苦労をしたことを聞いたに違いない。

学問的には小室はニュートラルな立場に終始したが、根本的な精神としては、一貫して愛国者であった。会津の武士道にこだわり、朱子学の意義を説いたのは、平泉や市川の流れをくんでいたからである。

小室は指導教官でもあった市村が、平泉の門下生らとともに、自らが塾頭となって昭和三十年十二月十八日に大阪府吹田市に「清々塾」を開設すると、その第一期生となった。精神の鍛練も怠らなかったのである。平泉は開塾式で、吉田松陰の「士規七則」を論じながら、「大廈《たいか》は現に傾き始めましたが、何とかこれを支え、もって回天の大事を為し遂げねばなりません。これが、私の士規七則を講じた所以であります」と訴えた。会津武士の精神を重んじる小室が感涙に咽《むせ》んだことは容易に想像がつく。

フルブライト留学生

小室は昭和三十二年に「理論経済学の基本問題」で大阪大学から経済学の修士号を取り、昭和三十三年一月には「デモンンストレーション効果と市場の均衡および安定」という論文を発表し、経済学者としての地位を固めた。いよいよ海外に雄飛する道が拓けたのは、市村が推薦したからで、小室は昭和三十四年八月二十七日、フルブライト留学生として、横浜港から氷川丸に乗って、アメリカに向かって出発した。大きな日の丸を警策に結んで、風呂敷包みを抱えての旅立ちだった。

小室にとってのアメリカ留学の目的は、マサチューセッツ工科大学で、サムエルソンから教えを受けることであり、そこで博士号を手にすることであった。学問的な好奇心が旺盛な小室は、サムエルソンばかりか、ハーバード大学にまで出かけ、パーソンズの講義を聴いたりもしている。

小室がマサチューセッツ工科大学で博士号論文の提出資格を得るためには、筆記試験と論文試験をパスしなければならなかった。小室が躓いたのは、語学ができなかったからだ。いくら天才小室であっても、解答を制限時間内に英文で書くのは難しかったようだ。数理経済学者としては、サムエルソンからも御墨付きを得ていたにもかかわらず、落第をしてしまったのだ。失意のどん底に落とされた小室は、市村に「もう死にます」との手紙を書いている。これに慌てた市村は、八方手を尽くして思いとどまらせようとした。

東京大学で博士号

小室がそこまで落胆したのは、自らの不甲斐なさが我慢ならなかったからである。たまたまそんな小室を励ましてくれたのが、ミシガン大学で計量政治学を勉強していた永井陽之助であった。

永井の口利きで、小室は東京大学で学ぶことになり、同じく修士号まではスンナリいったが、そこでまた壁にぶつかった。アメリカでそうであったように、またもや嫌がらせをされた。博士課程での指導教官であった京極純一に提出した論文が、数年間にわたって放置されたのである。これに腹を立てた小室は京極を「論文審査義務違反で訴えるぞ」と脅して、ようやく「衆議院選挙区の特性分析」が東京大学大学院法学政治政治研究科の博士論文として承認された。時すでに昭和四十九年になっていた。

社会学の分野での小室の活躍が目立つようになるのは、その頃からである。すでに田無寮を出て、マックス・ヴェーバーの研究家大塚久雄が住む石神井公園の近くのアパートに転居していた。東京大学では社会学部の富永健一ゼミのサブゼミとして、昭和四十七年四月に小室ゼミがスタートした。富永自身が小室から、理論経済学と数学を教えてもらったこともあって、富永ゼミの学生が小室から直に指導を受けた。昭和四十九年四月には、独立して小室ゼミとして、本格的に活動することになる。しかし、東京大学の社会学研究科では、小室が目の上のたん瘤となり、追い出しにかかる。単位をもらうためではなく、学問をしたい者たちが、東京大学以外からも集まるようになったからである。

アノミーの理論展開

アカデミズムの世界ではそうであっても、世間は小室を放っておかなかった。ジャーナリズムが小室を一躍スターに押し上げたのだった。毎日新聞は昭和四十九年六月、懸賞論文「日本研究賞一九七五・日本の選択」を公募した。入賞金目当てで応募した小室の「危機の構造―現代日本社会崩壊のモデル」が入賞した三編のうちの一つに選ばれた。要約すると、天皇共同体が敗戦によって崩壊して急性アノミーが生じ、高度経済成長によって村落共同体が解体して単純アノミーが発生した。これらのアノミーは企業、官庁、学校という機能集団が共同体としての性格を帯びることで収拾されるとみられたが、機能集団と共同体とは本来矛盾するものであるため、この矛盾が新たなアノミーを拡大再生産するのが構造的アノミーで、それが日本の危機の構造だと位置づけたのである。アカデミズムからは黙殺されたが、日本の知識人に大きな衝撃を与えた。

一般大衆まで小室の本を貪り読むようになったのは、昭和五十五年八月、小室が『ソビエト帝国の崩壊』を世に問うたからである。小室は昭和三十一年四月の段階で、平泉の門下生が出していた機関誌『桃李』に「スターリン批判からソ連の崩壊へ」といった論文を書いていたが、それを学問的な見地から、より掘り下げたのだった。

それで小室は世に知られるようになり、数々のベストセラーによって、日本人は何を為すべきか、何に配慮すべきかについて、分かりやすい言葉で警鐘を乱打したのである。

会津の教学を尊重

思想的なバックボーンとしては、会津藩の朱子学を最終的な拠り所とした。私は一度だけ会津高校の同窓会に出たことがある。小室が講演をすると聞いたからだ。残念ながら、酒に酔ってべろべろになった小室は、堂々巡りをするだけで、核心部分を話すことはできなかった。朱子学という思想が会津藩にあったことで、いかに逆賊と呼ばれようとも、激動の時代に身を処することができたということを訴えたかったのだと思う。世界が混迷を深めているなかで、日本の覚悟が問題となっているにもかかわらず、全てが後手に回っている。とくに政治家や官僚は責任を果たしていない。最近になってようやく、小室が言いたかったことが分かるような気がしてならない。今の日本は風前の灯なのである。

第十一章　多様性のラディカリズムとレーニン主義の復権

私は目下、レーニンの『国家と革命』（宇高基輔訳）を再読している。世界中の今の混乱は、新型コロナのパンデミックによって引き起こされたが、それが燎原の火の如く広がった背景には、レーニン主義の新たな適用という思想があると思うからである。

レーニンはマルクスやエンゲルスの文献を縦横に渉猟し、国家を死滅させるためには、プロレタリア独裁が不可欠であり、そこでの暴力の正当性を主張した。それを第二インターナショナルのカウツキーが否定し、今日の社会主義、共産主義の政党はほとんどが路線を変更した。

しかし、レーニン主義の新たな復権と変異を試みたのが極左のアントニオ・ネグリであり、その思想の「マルチチュード」（多数者）の渦をどのように断ち切ることができるかで、世界の国家は苦渋の歩みをしているのではないだろうか。

「マルチチュード」は日本でも的場昭弘らによって紹介され、一定程度の影響力を持った。的場の「マルチチュード」についての解説は分かりやすい。

「つまり、すべてを奪われているがゆえに、一人では生きてはいけない。だから、たがいに、手を組んで連鎖のように生きている。このような形で生きている人間は、非常に強い根を持っている。このような人間たちこそが、本来人間がもっていた根を壊してしまうようなシステムに対して、対抗していかざるをえない。そして、本来の人間の在り方に沿って手を組み合って、これを壊すシステムを崩壊させていく。そういう論理なのです」(『マルクスを再読する――〈帝国〉とどう闘うか』)

だからこそ、的場は移民労働者を含む外国人、女性、学生、さらには働かない者さえも組織されていく運動に目を向けるのである。当然そこにはジェンダー平等も含まれる。

ネグリはレーニン主義の落とし子である。あえてマルチチュードという言葉を用いるのは、暴力を正当化するために手っ取り早いからだ。憲法や法を突破する憲法制定権力こそが重要なのである。ネグリにとっては、マルチチュードは現代におけるプロレタリアートなのである。中心から外れていても、最終的には権力の中心に位置する者たち。それはレーニンの革命論と同じである。ネグリは現実を否定する根拠を、スピノザの構成的権力に求めたのであり、カール・シュミットの決断主義が根本にあったのだ。

世界中の民衆が多様性に立脚した社会変革を訴えれば、プロレタリア独裁以上の破壊力がある。憲法を無視して婚姻制度や皇室を破壊しようとする目論見もそこから出てくる。

レーニンから論じることで、事の本質を理解すべきなのである。保守派の大半は現在の政治を否定しようとする者たちは、愚か者と決めつけているが、そうではない。侮ることのできない力を持っているのであり、私たちは油断してはならないのである。

俗な言い方をする人たちは、「マルクス・レーニン主義」といわれるが、マルクスやエンゲルスとレーニンの間には大きな違いがあることが見落とされている。

マルクスの理論に忠実であろうとした者たちは、窮乏化によって革命が引き起こされるということが事実によって反証されてしまったために、軌道修正を余儀なくされた。第二インターナショナルから社会主義インターナショナルの歩みは、まさしくその歴史であった。これに対してレーニンは、社会を変革する主体としてのプロレタリアートに目を付けた。しかし、それがマルクスの哲学と合致するかというと、はなはだ問題がある。レーニンは「マルクスの真の国家学説を復興する」(『国家と革命』宇高基輔訳)と大見えを切ったが、それは一部分を誇張することにほかならず、そこにレーニン主義の独善性が見えてくるのである。

それを正当化するために、まずレーニンが取り上げたのがエンゲルスの『家族・私有財産および国家の起源』(宇高基輔訳)であった。

そもそも国家がなぜ成立するようになったかについて、エンゲルスを持ち出すことで、マルクスの徒としての自らを際立たせようとしたのだ。

国家消滅論とプロレタリア独裁

レーニンがあえてエンゲルスの考え方を紹介したのには理由がある。経済的に利害が異なる諸階級の矛盾を激化させないための上位の権力としてであった人間が構成する社会から「みずからをますます疎外していく権力」(エンゲルス『家族・私有財産および国家の起源』宇高基輔訳)としてなのである。それを根拠にしてレーニンは「国家は、階級対立の非和解性の産物であり、その現れである。国家は、階級対立が客観的に和解されえなくなっているところに、その時に、その限りで、発生する。逆にまた、国家の存在は、階級対立が和解されないものであることを証明している」(『国家と革命』宇高基輔訳)と解釈したのである。

レーニンから言わせれば、修正主義者の多くは、国家の成立が階級対立と階級闘争を前提にしつつも、「国家は諸階級の和解の機関である」(同)と曲解したというのだ。それぞれの諸階級に分かれているから国家があるという見方では一致しても、それが和解に向かって機能するかとなると、大きく見解が異なる。それでは国家の廃絶を主張するレーニンとしては、賛同することはできなかったのである。

一九一七年のロシア革命において、同じ社会主義陣営に属しながら、エス・エル(社会革命党)やメンシェヴィキと袂を分かつことになったのは、そこに起因するというのである。

「諸階級」を「多様性」という言葉に置き換えるならば、目下世界を揺るがしている混乱原因が見えてくるのではないだろうか。

レーニンからすれば、エス・エルやメンシェヴィキは諸ブルジョアとして、国家を容認する方向に方針を転換させた。それと比べれば、エルゲルスの見方が的を射ていたというのだ。

あくまでも国家は「階級支配の道具」でしかないならば、国家が社会よりも上位にあるのは明白である。そこでレーニンの主張が明確に打ち出されるのである。

「国家が社会の上に立ち、『社会からみずからをますます疎外してゆく』権力であるならば、あきらかに、被抑圧階級の解放は、暴力革命なしには不可能であるばかりでなく、さらにまた、支配階級によってつくりだされ、またこの『疎外』を体現している国家権力装置を廃絶することなしには不可能であるということが、それである」（同）

マルクス主義を高く掲げながら変質したカウツキーを痛烈に批判したのだ。民衆の支持を獲得し、機会があれば国家運営にあたろうとしていたドイツ社会民主党の領袖らは、後進国の運命を背負ったレーニンの言葉など、耳に入らなかった。常識的な社会主義者からは、排斥の対象とされたのである。革命の主体となるプロレタリアートにしても、ロシアでどれだけ育っているかとなると、甚だしく疑問であったからだ。

歴史は皮肉なもので、常識的な線でまとまっていたドイツでは革命は成就せず、ロシアにおいてレーニンらの力によって達成されたからである。エンゲルスから結論を引き出すには無理であると思ったレーニンは、最終的にはマルクスを押し立てるが、実際に権力を手中にできるかどうかは、国家を解体すること無くしてはありえないというのは、理論家の言葉ではなく、大衆を扇動し、革命に革命に掻き立てるアジテーターのプロパガンダであった。

マルクスにはすぐに向かわず、レーニンはエンゲルスの『家族・私有財産および国家の起源』にもどり、自分自身を武装力として組織する者たちとは別な「公的な暴力」を問題視する。国家は「監獄やあらゆる種類の強制施設からなって」おり、それらを我がもの顔に使うことができる。そうした国家が形成される一方では、「住民の自主的に行動する武装組織」が生まれることになるのである。

さらに、レーニンは公的な暴力を維持するために、国家が租税と国債が必要であることを取り上げ、官僚組織が重要な役割を担っていると指摘したのだ。官僚打倒というスローガンは、当初はレーニンの専売特許であった。

マルクスの理論を独自に発展

レーニンにとっては、国家にいくつもの形があるのではなく「あらゆる国家は非自由で非人民的な国家である」であり、マルクスとエンゲルスは一八七〇年代に、このことを彼らの同志にいく度も説明していると結論づける。

そして、エンゲルスがマルクスの思想的な核心部分を「暴力は、マルクスのことばをもってすれば、新社会をはらんでいるあらゆる旧社会の助産婦であるということ、さらに、暴力は、それをもって社会的運動が自己を貫徹し、硬直し麻痺した政治的諸形態を粉砕する道具であるということ」(『反デューリング論』宇高基輔訳)と述べていたのに着目した。

レーニンは、そうしたマルクスとエンゲルスの国家死滅論が勢いを失っていることを嘆き、そこにこそ共産主義のエネルギーの爆発があると信じたのだ。

前座をエンゲルスに務めさせ、マルクスの登場ということになるが、そこで引用されるのは『哲学の貧困』、『共産党宣言』、『ゴータ綱領批判』などである。ブルジョア国家が打倒するための暴力の必要性を論じるためには、マルクスの文章の読解を通じて、レーニン主義と呼ばれるプロパガンダに仕立てあげたのである。暴力革命を否定する者たちを批判し、マルクスやエンゲルスの文献で「大衆を系統的に教育する」ことの必要性を説いたのだ。

『国家と革命』の第一章の部分からすでに、レーニンのなかでは、『国家と革命』の題名が『革命と国家』に置き換えられているのだ。目前に迫りつつあるロシア革命を成就するには、権力闘争を勝ち抜かねばならず、そのためにはストレートな表現で暴力を肯定しなければならなかったからだ。

歴史の必然性に立脚して、いつ到来するか分からない「最後の審判」など待っているわけにはいかなかった。レーニンは「第一版あとがき」で「この小冊子は、一九一七年の八月と九月に書かれた。私にはすでに第七章『一九〇五年と一九一七年のロシア革命の経験』の腹案ができていた。しかし、私は表題のほかには、この章の一行も書けなかった。政治的危機、一九一七年の十月革命の前夜が、これを『妨害』したからである。このような『妨害』は、よろこぶよりほかはない」と正直に語った。

マグマが大地を駆け下りてこようとしているのに、それに形を与え、方向性を示すのは、この小冊子では無理であった。革命家としてのレーニンの力こそが試されたのである。

目下世界中で起きている国家解体の運動は、現段階ではレーニンに率いられたボルシェヴィキのような組織はないが、それは時間の問題である。暴力に心を痛めるデューリングのような者の力では、革命など成就するわけがないからである。アントニオ・ネグリは、形態は変わっても「多様性」が暴力を肯定することを見据えている。その根本にあるのは、大衆に決起を促す「多様性」という武器なのである。ソビエトが崩壊したにもかかわらず、レーニンの亡霊が世界を徘徊しつつあるのだ。

パリ・コミューンの再現目指す

「第二章　国家と革命・一八四八―一八五一年の経験」において、レーニンはマルクスの思想と自らの思想との換骨奪胎を試みた。マルクスの『哲学の貧困』（宇高基輔訳）で弁証法的な書き方をしていることに触れ、「労働階級は、その発展の過程において、階級と階級対立とを排除する一つの結社をもって古い市民社会におきかえるだろう。そして、本来の意味での政治権力はもはや存在しないであろう」との一言にレーニンは着眼したのである。

この解釈については、私は異論がないわけではないが、目前に迫ったロシア革命に労働者、兵士、農民を参加させるためには、そうした言葉に頼らざるを得なかったのである。そのことでレーニンを断罪しても、革命論への本質的な批判には結びつかない。マルクスは国家の消滅を目ざしたが、そこに向けての道のりを明らかにしなかった。

その点をどのように発展させるかは、レーニン独自の判断であり、いかに誤解であろうとも、問われるべきは効力を発揮したかどうかなのである。ヘーゲルの思想的影響下にあったマルクスは、彼にとっての独自の見解から、ペダンチックな立場に固執することなく、一歩も二歩も前進することを声高に叫んだのである。だからこそ、一八四八年十一月に世に問うた『共産党宣言』（宇高基輔訳）では「われわれは、プロレタリアートの発展のもっとも一般的な諸段階を叙述しながら、現存社会内の多かれ少なかれかくれた内乱を追求して、それが公然たる革命となって爆発する点まで到達した。こうしてブルジョワジーを暴力的に転覆し、それによってプロレタリアートがその支配をうちたてるときがきたのである」と書くことができたのだ。

レーニンのマルクス理解では、プロレタリアートに権力を集中させるためには、暴力を用いることが力説されている。レーニンも引用はしているが、その一方でマルクスは「生産力の量をできるかぎり急速に増大させるために、その政治的支配を利用するであろう」（同）と述べている。

あくまでもプロレタリアートによる国家は、社会主義や共産主義に向かうための経済的基盤を整えることでもあるのだ。メンシェヴィキの側は、そのことにこだわった。理論的にマルクスがどちらに軍配を上げるかは明確ではない。

レーニンが暴力革命にこだわったのは、十九世紀末から二十世紀初めにかけて、イギリス、フランス、イタリアの社会主義者がブルジョアの内閣に参加し、醜態をさらしているのを目撃したからだ。そして、一八七一年のパリ・コミューンの悲劇に接して、マルクスの心の中で起きたドラマを、レーニン自身が確認することになったのである。

マルクスのパリ・コミューンへの対応では、一八七〇年秋には、パリの労働者に抑制するようにとの警告を発した。五十万もの常備軍に歯向かっても、撃破されるのは目に見えていたからだ。しかし、一八七一年三月、労働者が立ち上がったときには立場を一転し、レーニンは「彼（マルクス）は、不吉な前兆があったにもかかわらず、最大の感激をもってこのプロレタリア革命を歓迎したのであった」（『国家と革命』宇高基輔訳）と論じている。

なぜマルクスがあえてその決断をしたのかに注目したのだ。プロレタリアートによる権力の掌握を現実化するには、貴重な経験をすることになったからである。そこで手にした結論から、マルクスはパリ・コミューンに大きな意義を見いだそうとしたのだった。

しかしながら、私からみれば、マルクスは微かな可能性を見つけようとしたのであり、レーニンのように割り切ることはできなかったのではないだろうか。レーニンが「彼は、この大衆的革命運動―その目的を達しなかったとはいえ――のうちに、きわめて重要な歴史的経験、世界プロレタリア革命の特定の一歩前進、数百の綱領や議論にもまして重要な実践的方策を見てとった。この経験を分析し、これから戦術上の教訓をひきだし、これにもとづいて自分の理論を再検討すること――じつに、マルクスは自分の課題をこのように提起したのである」（『同』）というのは、牽強付会でしかない。

国家を解体せずとも、理想が実現されるというのは、単なる幻想でしかなかった。レーニンからすれば、それは「官僚的軍事機構をうちくだく」ということだと、マルクスが気付いたというのである。

アントニオ・ネグリとレーニン主義

レーニンとアントニオ・ネグリとの思想的な結びつきは深いものがある。ネグリの経歴からも、それをうかがい知ることができる。

一九三三年に生まれたネグリの父は、イタリア共産党創設メンバーの一人で、極右に殺された。若い頃からネグリは極左で、当初は「労働者の権力」の指導者で、一時はレーニン主義の立場から運動を展開した。そこで展望が拓けず、レーニン主義的な暴力を認めつつ、既成の左翼諸党派を批判し、労働者や大衆の自発性に依拠することに転換した。そうした労働自治の運動を踏まえて、幅広い大衆の多様性を武器に、レーニンと同じく国家の死滅を目指しているのである。

アントニオ・ネグリがレーニンの後継者であることを端的に語っているのは、レーニンが『国家と革命』（宇高基輔訳）「第三章国家と革命、一八七一年パリ・コミューンの経験」の「二　粉砕された国家機構は何によっておきかえられるか？」で示している方針と、ネグリの主張がほぼ合致するからである。

すなわちそれは、パリ・コミューンによって、一時的に実現された理想でもあったが、あっけなく潰えた夢でもあった。レーニンはマルクスの『フランスの内乱』（宇高基輔訳）から「コミューンの第一の布告は、常備軍を廃止し、これを武装した人民ととりかえることであった」、「コミューンは、パリの市内各区における普通選挙によって選出された市会議員からなりたっていた。彼らは有責であっていつでも解任することができた。コミューン議員の大多数派は、いきおい労働者か、労働者階級の公認の代表者かであった」といった箇所を引用している。

そして、レーニンは、プロレタリアートによる独裁の徹底化が行われれば、パリ・コミューンが勝利し、国家は死滅へと向かったというのである。とくにレーニンが力説しているのは「官吏の金銭上の特権の廃止、すべての国家公務員の俸給の『労働者賃金』の水準への引き下げ」である。

常備軍や警察を廃止し、官吏の特権を奪い取る。そこに共産主義の原点を見たのだ。民衆は多数派を形成しているにもかかわらず、一握りの者たちに支配されており、そこから脱却するのがレーニンのいう革命なのである。

　実際のロシア革命においては、レーニンの意思とは無関係に、スターリンによって、官吏の支配が強化され、強固な全体主義国家が誕生し、それを今も中国などが受け継いでいるのだ。『ネグリ政治的自伝』（杉村昌昭訳）を読めば、アントニオ・ネグリの原点復帰は、大きな意味がある。何物にも縛られるべきではない民衆は、恐るべきエネルギーを持っている。それを爆発させることなく、これまで沈黙してきたのは、その機会を手にできなかったからだ。グローバリズムは、世界の各国の支配者の連帯を強化した。それは同時に、民衆の横の絆を強化することでもあった。

　世界的なレベルでの混乱の幕開けはこれからである。日本もその渦中に巻き込まれることは必至で、混乱を最小限にするためには、私たちは自分たちの歴史を見なおし、国柄を再確認しなければならない。多様性を容認しつつも、分断よりも対話を重視しなくてはならない。暴力に向かうことを阻止しなくてはならない。そうした理論を私たちが構築できるかが問われてきているのである。

《土俗からの出立》

第一章　峠を越えなかった野口英世の母

野口英世の母シカはついぞ峠を越えることがなかった。そのことを私は問題にしたいと思う。幼き日に突然母ミサが蒸発し、越後街道に出奔し行方知れずとなった。養子をもらって先祖代々の田畑を守るはずの母が、それを断念していなくなったのだ。そのとき受けた傷は、生涯シカの人生観に影響を与えたのではないだろうか。

大志を抱いて医学の道に入った息子の英世は、シカを顧みることなく研究に没頭した。取り残されたシカは息子に一日会いたいと、たどたどしい手紙を書いた。それは個人的な感情のレベルにとどまらず、故郷を守る者の切なさであった。

私もまた、野口シカや英世と同じ会津人の血が流れている。それだけにシカを見捨てた母おさ、世界に雄飛した英世、さらには、耐えるしかないシカの気持ちが手に取るように分かるのである。

私たち会津人は、頑なまでに「ならぬことはならぬものです」という教えに忠実である反面、その一方では鬱屈したデスペレートな思いがある。人は建前だけでは生きてはいけないのである。

とくに、閉鎖的な会津の空間で生きる者たちは、留まるか、それとも故郷を後にするか、そのせめぎ合いのなかで、それぞれの選択を迫られるのである。

シカの母のミサや英世は、峠を越える側に立った。シカは留まって、あくまでも母や息子が帰ってくるのをじっと待った。その健気さに心打たれるのは、私だけであろうか。

出て行く者がいれば、逆に故郷を守る者がいる。郷里に錦を飾る者の数は限られており、零落して帰ってくる者が大半である。敗者を迎え入れるには、受け入れる家族がいなくてはならない。その観点から私はシカのことを論じたいと思う。

母は出奔、祖母と二人で家守る

嘉永六（一八五三）年に猪苗代湖畔の耶麻郡翁島村大字三ツ和字三城方潟の貧しい農家の長女として、シカはこの世に生を享けた。アメリカのペリー提督が四隻の黒船を率いて浦賀沖にやってきた年である。日本が大きく変わろうとする只中にいたわけで、波乱万丈の人生が待っていたことはいうまでもない。

普通であれば、両親の愛によって育まれるのに、シカはそうではなかった。父親の善之助に見切りを付け、老いた祖母ミツと娘シカを残して、母ミサは忽然と姿を消してしまった。

それから祖母と二人っきりの生活が始まった。善之助は、妻がいなくなった家にいることはできず、猪苗代のご城代の御屋敷に奉公に出た。祖父の岩吉も家を離れて働いていたというから、男の働き手はいずれも家にいなかった。

父親に会いたい一心で、年端もいかないシカは、わざわざ城代の屋敷の門を叩いた。これには善之助も涙を流し、家にもどることになった。体が弱い父親ができることは限られていた。知り合いの家に手伝いに出かけるのが精一杯であった。村の茶店で日雇いをしている祖母の収入が頼りの綱であった。

母親が出て行ったのは、貧乏に耐えられなかったからである。少しでも生活の糧になればと、シカは七歳になったばかりで、幼いながら子守りとして働いた。親にわがままを言いたい年なのに、すでに大人と同じように、気遣いの気持ちが芽生えていた。

必死に歯を食いしばり三人で力を合わせたが、運命の女神は微笑んではくれなかった。風邪をひいた祖母が日を追うごとに悪化して危篤になった。シカは子守りをしている先の主人に頼んで、前借をして売薬にあてた。医師に診せる金はなく、徹夜で看護することしかできなかった。

祖母が新鶴村（現在の会津美里町）の中田観音様を信仰していたために、シカは観音様の姿を思い浮かべ、必死になって祈ったが、その願いもむなしく、祖母はこの世を去ってしまった。

悲嘆にくれたシカの姿を見ると、村の人たちも涙を抑えることができなかった。母親のミサが戻ってきたのは、その一、二年後であった。憔悴《しょうすい》しきった顔をして、何もなかったかのように現れたのだ。父母の間はしっくりいくわけはなかった。家庭の不和がシカを悲しませた。そこに祖父も戻ってきたが、もはや働ける体ではなく、祖母の後を追ったのだった。

さらに、不幸が追い打ちをかけた。父親もまた病魔に冒されたのである。貧困でろくなものも食べていないから、病気に打ち克つ体力が残っておらず、祖母のときと同じで、必死に看護しても無駄であった。

それからは、シカは一度自分を見捨てた母親と二人で暮らすことになった。恨みがましいことは一言も口にせず、シカは孝行を尽くした。

会津戦争と酒飲みの夫との結婚

薩長を薩長や土佐を中心とする西軍が会津に侵攻したのは、慶応四（一八六八）年八月二十一日のことであった。シカは十八歳になっていた。母成峠がこの日に破られたことで、会津軍が総崩れとなり、猪苗代での戦いを避けて総撤収した。戦場にならなかったことで、かろうじて三城潟の集落は焼けずにすんだ。近くの山に避難したシカと母親は胸をなでおろしたのだった。

翌日には西軍が若松城下に侵入し、阿鼻叫喚《あびきょうかん》の修羅場と化したのである。飯盛山での白虎隊士中二番隊の自刃といった悲劇も起きた。それから一ヶ月間は、会津では砲声や銃声がやむことはなかったのである。

会津藩が降伏して平和が到来してからも、親子二人の苦しい生活は変わらなかった。機転のきくシカは、磐梯山の登り口にある見弥山《みねさん》という集落の、そこの付け木に目を付けた。その付近で硫黄が取れ、それで付け木をつくっていたからだ。それを仕入れて若松で売りさばいたのである。いくら元手は安いとはいえ、運搬するのは一苦労であった。三城潟から見弥山まで往復三里。そこから若松まで四里も歩かなければならなかった。

それ以外にもシカは、馬を飼ったり、養蚕に挑戦したりで、休む暇なく働いた。外で働けない冬季間は、凍り豆腐をこしらえて売って歩いた。

そんなシカに結婚話が舞い込んできたのは、明治五年のことであった。母親と同じように婿養子を迎えたのである。夫となったのは、小平潟の小檜山惣平の長男の佐代助であった。嘉永四（一八五一）年生まれで、シカよりも二つ年上。小平潟も猪苗代湖に面していた。

佐代助と一緒になったことで、なおさらシカは苦労を強いられることになった。アル中で昼間から酒浸り、民謡「会津磐梯山」に登場する小原庄助のような人物であった。酒を飲んで暴れるということはなかったが、決して働き者ではなかった。野口家に財産が有れば問題はないが、赤貧を洗うような暮らしだっただけに、迷惑この上もない婿養子であった。

閉ざされた会津という空間では、出世栄達とかいった上昇志向は満たされない。打ちひしがれて酒に溺れてしまうのを、一体誰が批判できよう。故郷を背にして越えた人たちは、それに耐えられなかったのである。

北篤も『評伝野口英世』のなかで、佐代助について「酒は彼らにとり、救いの神である。貧しい雪国にあっては、農民など逃げ場がない。意志が弱ければ酒の合間に落ちこんでゆく」と同情的な書き方をしている。

夫が不甲斐なければないほど、シカは頑張るしかなかった。道路で酔いつぶれている亭主を、仕事帰りに引きずって家まで連れて来たことも、一度や二度ではなかった。そこまでされても夫を大事にし、明治七年には長女いぬが、明治九年に後の英世である長男の清作、明治二十年に弟の清三が生まれた。

睡眠三時間、息子は医者母は産婆

雨漏りがする粗末な家で、シカ夫婦、子供の六人が寝起きした。シカの働きぶりについて、宮瀬睦夫は『野口英世の母』のなかで触れている。

「女ながら、少しばかりだったが田畑を小作借りして里芋やその他の野菜を作って、それを肩に猪苗代や若松の町へ売りに行く。野川や湖水へ出かけ小鰕《こえび》小魚をとって山家へ売りに行く。夜は夜なか過ぎまで藁《わら》仕事する。寝る時間はほんの三、四時間、とろりとするくらゐのものであった」

疲労困憊《こんぱい》でうとうとと眠りかけたときに、耳をつんざくような清作の泣き声がした。囲炉裏で火傷をしたのである。清作はまだ三歳であった。年老いた母が見てくれていると思ったら、一瞬の隙を突いて、とんでもないことが起きてしまったのである。

医者に診てもらう余裕などあるわけもなかった。売薬ですませるしかなかった。約五、六週間後には、清作の左手は松の木のこぶのように成り果てた。

シカがすがったのはやはり中田観音様であった。猪苗代湖から新鶴までの西南八里の道のりを何度も何度も足を運んだ。

そうした信仰に支えられて、シカは老いた母と夫の面倒を見、子供三人を育て上げた。少しでも金になればというので、明治十四、五年頃から約十年間荷物の運び屋をした。若松を出るには難所である滝沢峠を越えなければならないが、大の男でも大変なのに、それをシカはやってのけた。

そうしているうちに清作も猪苗代小学校に入った。左手が不自由なことで虐められ、不登校になった時期もあった。しかし、シカが我が子を抱きしめながら励まし諭したことで、勉強に精進するようになり、高学年になるにしたがって成績もトップクラスになった。

清作の人生の一大転機となったのは、猪苗代小学校の教師小林栄に感化されたことだ。医師になることを勧められ、若松の会陽医院の医師渡部鼎《かなえ》の書生に世話をしてくれた。渡部から清作は左手を手術してもらったばかりではなく、医学の手ほどきも受けた。

そこでの三年間の書生としての生活は、清作にとっては忘れられない青春の日々となった。とくに力を入れたのが語学の習得であった。当初は渡部が英語を教えてくれたが、日清戦争に従軍したために、東北学院を卒業した旧会津藩士の和田僊吉のもとに通った。さらに、清作は独学でドイツ語をマスターし、医学の原書まで読めるまでになった。フランス語に関しても、外国人宣教師の指導を受けてメキメキ上達した。

会津を離れて東京に向かった時点で、すでに三ヶ国語をマスターしてしまったのだから、驚くべき語学の天才である。漢文の主なものも全て目を通した。睡眠時間は三時間もあれば十分であった。

そして、清作は書籍の表紙裏に「人よく寸陰を惜しまば、我れ分陰を惜しむ」と書いた。寸は三センチ、分陰はその十分の一である。他の人よりも時間を有効に使うことを、自らの戒めの言葉とした。上京するにあたっては、生家の茶の間の柱に「志を得ざれば　再び此地を踏まず」と彫り付けた。それだけの覚悟を持って会津を後にしたのである。

清作が学問に全身全霊を傾けているときに、シカもまた新境地を切り拓いた。思いがけず産婆の資格を手にすることができたからだ。息子に負けてはいなかったのだ。村には有能な産婆がいたが、寄る年波には勝てなかった。そこで助手が必要となり、シカに声をかけた。シカは相変わらず日雇いをしていたが、チャンスがめぐってきたのである。

助手をしているうちに、産婆の仕事をマスターし、シカの方が重宝がられるようになった。助産婦の仕事以外にも、家事までしてくれるというので、どこでも喜ばれた。

それまでは医学の知識がなくても産婆を開業できた。それが明治三十年を境にして制度が変わり、正式に講習を受けなければならなくなった。経験豊富な高齢者が多かったこともあり、時代に付いていけないというので、それを機会に産婆の数が激減した。これには村役場も頭を抱えてしまい、適当な人がいないかということになった。

シカが手伝っていた村の産婆が太鼓判を押してくれたので、シカに声がかかった。日雇いのシカには資金がなかった。それで断ろうとしたが、村長の二瓶蓮三郎が尽力して、講習会の参加費は郡村の補助で、お産に使う器具や薬品は村民の協力で揃えることができた。

産婆としてのシカの腕の良さが評判になり、次々と声がかかったが、あまりにも親身になって世話をするので、金儲けには結びつかず、一向に生活の方は楽にならなかった。

息子の無事を観音様に祈る母

上京から一年余りで清作は医師としての試験に合格した。まさしく努力の賜物であった。だが、その一方で父佐代助の血を受け継いでいたこともあり、遊ぶ方も半端ではなかった。湯水のごとく金を使い果たしては、友人らに無心の手紙を書いた。

清作も自らの振る舞いを反省しないわけではなかった。坪内逍遥の小説『書生気質』に出てくる主人公の名前が、奇しくも野々口清作である。医学生で秀才であったにもかかわらず、ふとしたことから道を誤り、酒色におぼれて放蕩者になっていくとのストーリーである。

その小説のせいで、自分も一緒にみられてしまうというので、清作も動揺してしまい、恩師の小林栄に頼んで、改名してもらうことになった。そこで選ばれたのが英世という名前である。明治三十三年十月二十七日には戸籍簿に届け出て受理された。

そこまですることになったのは、清作自身に思い当たる節があったからである。さらに、郷里の人たちが支援してくれたのは、清作が英世になることで、本人の振る舞いが改まることを期待したのだった。

医師になるのではなく、医学者になるために英世は明治三十三年秋にアメリカに旅立った。学閥とは関係なく実力で評価するのがアメリカである。そこに一縷《いちる》の希望をつないだのだ。峠ばかりか、太平洋を渡ったのである。

その旅立ちにあたって、英世に迷いがなかったかといえば、それは嘘になる。野口家には耳が全く聞こえない祖母、大酒のみの父、長女いぬと養子婿、さらには弟の清三がいたが、大黒柱は依然として母のシカであった。働き手になってくれるはずだった婿養子の善悟も、父親と同じく大酒飲みであった。

シカのためにも、すぐに医院を開業すれば、親孝行ができる。後ろ髪をひかれる思いを振り切って、英世はアメリカを目指したのである。異国の地に旅立った我が子のことを思うと、シカは中田観音様に祈るしかなかった。峠を越えることがない母は、じっと忍耐するしかなかった。

英世の学者としての業績はアメリカの地で花開いた。明治三十四年の「毒蛇に関する研究」を皮切りに、毎年二、三篇の研究発表がなされ、いずれも大反響を呼んだ。アメリカをはじめとする外国から次々と称号や勲章が授与された。日本でも明治四十四年に京都大学から医学博士の学位が授けられた。もはや押しも押されない世界的な医学者となったのである。

息子に宛てた会津からの叫び

アメリカで英世が揺るぎない地位を築いたのに対して、故郷の野口家の方は困窮にあえいでいた。明治四十一年には清三が第二師団若松歩兵第二十九連隊に召集された。足手まといの佐代助は小林栄に引き取られた。それでも生活は楽にはならなかった。

このままでは貧乏から抜け出せないというので、清三は除隊後に北海道に渡った。そして、佐代助も後を追った。切羽詰まったシカは明治四十五年、英世に帰ってきて欲しいとの手紙を書いたのである。

おまイのしせ（出世）には。みなたまけ（驚き）ました。
わたくしもよろこんでを（お）りまする
なかた（中田）のかのんさまに。さまにねん（毎年）。
よこもりを。いたしました。

べん京なぼでも（勉強いくらしても）。きりかない。
いぼし（烏帽子＝近所の地名）。ほわ（には）こまりをりますか。
おまいか（が）。きたならば。もしわけ（申し訳）かてきましょ。
はるになるト。みなほかいド（北海道）に。いて（行って）しまいます。
わたしも。こころぼそくありまする。
ドカ（どうか）はやく。きてくだされ。
かねを。もろた。こトたれにもきかせません。
それをきかせるトみなのれて（飲まれて）。しまいます。
はやくきてくだされ。
はやくきてくだされ。
はやくきてくだされ。
はやくきてくだされ。
いしよの（一生の）たのみて。ありまする。
にしさ（西を）をむいてわ。おかみ。
ひかしさ（東を）むいてわおかみ。しております。
きた（北を）さむいてわおかみおります。
みなみさ（南を）むいてわおかんでおりまする。

ついたち（一日）にわしをたち（塩絶ち）しております。ついたちにわ
ゐ少さま（栄晶様＝修験道の僧侶の名前）に。ついたちにわ
おかんてもろております
なにおわすれても。これわすれません。
さしん（写真）をみるト。いただいて（神様に捧げる）おりまする。
はやくきてくたされ。いつくるトおせて（教えて）くたされ
これのへんち（返事）をまちてをりまする。
ねてもねむれません。

この手紙でシカが英世に帰国を望んだのは、淋しいからではなかった。英世が帰るべき場所がなくなることを危惧して、野口家の危機を救って欲しかったのだ。いくらアメリカで栄達を極めても、家族が北海道に渡ってしまえば、英世の出世を喜んでくれる肉親は三城潟にはいなくなるからだ。

中田観音や鳥帽子の地名、修験道の僧侶の名前が出てくるのは、英世に故郷を思い出させようとするためだ。三城潟から離れないためには、きれいごとではなく金がなくてはならない。だからこそ、シカは「貰っても他言せず、酒を買うようなことはさせない」とまで言い切ったのである。

会津から峠を越えることなく、あくまでもシカは先祖代々の会津の地に執着した。母心というよりも、もっと奥深い叫びであった。墳墓の地を守り抜くためには、それしか方法がなかったのだ。

息子の凱旋を湖畔で待つ

その手紙を受け取った英世はすぐに帰国を考えたが、多忙な日程がそれを許さなかった。大正三年にロックフェラー研究所の正員となり、破格の待遇を受けるようになった。また、同年に東京帝国大学から理学博士の学位を、大正四年四月には帝国学士院から恩賜賞を授けられた。

英世は恩賜賞の賞金をシカに送った。それで先祖の田畑の一部を買い戻すことができた。英世が故郷に錦を飾ることができたのは、恩賜賞の栄誉を手にした同年夏であった。

シカは横浜の港に英世を出迎えたかったが、それは小林栄に任せた。待つべき場所は三城潟しかないからである。静かに家で帰りを待った。英世が猪苗代湖畔の三城潟に着いたのは、帰朝三日目九月八日のことであった。村役場の職員や小学生の歓呼の声に迎えられて、翁島駅に降り立ち、それから村の鎮守や八幡神社へ参拝したあと、三城潟の三十軒全てに挨拶をして、先祖の墓に詣でてからようやく母と子との対面が実現した。

十六年ぶりの帰省であった。シカは母親として我が子を自らの家で迎えた。父親の佐代助も北海道から戻ってきたが、目立つことを嫌うかのように、その他大勢の一人として振舞った。英世はシカに東京見物と関西旅行をプレゼントした。佐代助にも声をかけたが、酔いどれである自分のことをわきまえて、断ったのだった。

野口家の窮状を救った英世は、大正四年十一月四日にアメリカに戻った。二年後の大正六年に英世はチフスにかかり、死線をさまよった。そのときにシカが願いをかけたのは、いつもの中田観音様であった。

我が子のために身代わりになることも厭わないシカは、英世が元気になったことを中田観音に感謝し、お礼参りをした。その翌年に今度はシカがスペイン風邪にかかり、大正七年十一月十日に死去した。

シカの死から約十年後の昭和三年五月二十一日、英世はこの世を去った。昭和二年からガーナのアクラで黄熱病の研究に没頭していて、自らがその病気にかかったのである。

同じ会津人として、私は、英世だけでなく、その父母、さらには祖父母にも親近感を覚える。厳しい風土に生きる者たちは、逃げ場を求めたくなる。シカの母ミサは耐えられなくなって、越後街道に姿を消した。酒におぼれて身を持ち崩す夫佐代助のような男たちも多い。その一方では苦労を苦労と思わず、シカのようにひたむきに生きる者たちもいる。その両方を英世は兼ね備えていた。優しさゆえに世をはかなみ、悲観的になる。しかしながら、一度こうと決めたならば梃子でも動かないのである。

英世の負の部分をあげつらう見方はあるが、私はそれに与するつもりはない。シカが一所懸命、粉骨砕身働いたのは、かけがえのない息子と、憎めない夫がいたからである。

多くの野口英世の伝記がそれを取り上げないのは、人間としての悲しみを理解できないからであろう。英世のマイナス面をいくらあげつらっても、医聖野口英世を貶めることにはならないのである。

第二章　東北学の泰斗山口弥一郎――柳田国男の高弟の一人

日本民俗学の祖は柳田国男であるが、彼を支えた者たちがいたことを、私たちは忘れてはならないだろう。会津人の山口弥一郎もまたその一人であった。わざわざ一農民となるために、岩手県の北上山地の寒村生活を経て、会津にもどってきてから惣領としての役割も果たそうとした。結果的には挫折に終わったとはいえ、机上の空論ではなく、一農民としての視点を生涯失うことはなかったのである。

山口は明治三十五年五月十五日、現在は会津美里町になった、大沼郡新鶴村に生まれた。先祖は山内又七郎と名乗り、大沼郡金山町横田地内を治めていた山ノ内家の家臣であった。お蔵入りと呼ばれていた只見川の流域にあたる。

天正十七（一五八九）年の伊達政宗の会津侵攻によって、葦名家ばかりでなく、山ノ内家も滅ぼされた。このため、又七郎ら一党は会津盆地に近い佐賀瀬川の山間地に身を隠したのである。そして、伊達が会津を離れてから、会津盆地の西にあたる蕎麦目《そばのめ》の知り合いに匿われた。すぐに頭角を現して里の長となり、名前も平左衛門と改めた。

その二男の四郎衛門が和泉新田を、四男の左右衛門が新屋敷をそれぞれ開墾した。左右衛門は当初は山内を名乗っていたが、弥右衛門の代の明暦元（一六五五）年頃から山口と改名した。山口は自らのルーツについても徹底的に調べ上げた。農民として生きてきた先祖を誇りにしていたからだ。とくに、会津藩を支えた豪農は、葦名に連なる土豪であったといわれており、山口の一族もその流れをくんでいたのである。

炭鉱集落研で朝鮮・満州から琉球踏破

山口の学者としてのスタートは地理学者としてであった。大正十五年の末、磐城高等女学校の教師であった時代に、地質に関する小論稿を発表した。昭和六年からはいわき市の常磐炭田の炭鉱集落の研究に取り組んだ。そこでのテーマは、集落がどのように形成されてきたかであった。

地理学者の田中舘秀三郎東北大学教授の門下生となり、夏には北海道、樺太まで出かけた。さらに、山口は同年に「炭鉱集落の漸移理論」を世に問うてからは、それを立証するために昭和七年に朝鮮、満州、中国、昭和八年に宇部、九州、昭和九年に沖縄、台湾にまで出かけている。

地理学者として出発したことで山口は、民俗学に力を入れるようになってからも、地形や地図を重視した。地図をベースにしながらの民俗学的なアプローチをこだわったのである。

「房総半島の南端を走る三十五度線は、中国地方の中央を走っています。しかし、東北地方は、起きあがったように北に立っていますから、青森県の北の端などは四十一度半にもなっています。それで日本のほぼまんなかの東京に在って北の方に行きますと、気候はずんずん冷えてきて、冬にはすっかり深い雪にうずもれる、寒い国になってしまいます」(「北の国・東北地方」)

東北地方が他の地方と異なるのは、「緯度が直角になってくるからだ」というのは、絶えず地図を頭の中に思いうかべていたからである。柳田民俗学を補強する点でも、山口の功績は大きいものがある。

柳田の出会いと磐城民俗研究会

山口が柳田に初めて会ったのは、昭和十年の柳田国男の還暦祝賀会においてであった。門弟を通じて全国にアンテナをはりめぐらしていた柳田は、山口の地理の論文に興味を抱き、わざわざ招待したのだ。

昭和十三年には柳田が平に立ち寄った。それ以降、山口は直接教えを受けることになり、岩崎敏夫、高木誠一らとともに、磐城民俗研究会が誕生した。

しかし、民俗学への開眼は、山口に過酷な生活を強いることになった。すでに山口は三十三歳になっていたが、血の出るようなフィールドワークに時間と金を費やした。

昭和八年に三陸海岸に大津波が押し寄せると、田中舘教授の助手となって災害調査にあたった。

津波直後は交通が寸断されていたので、歩くしかなかった。一日に峠を一つしか越せないこともあった。疲労困憊して鼻血がとまらないこともあった。それでも被災した海岸線を歩きぬいたのである。

すでにその当時から航空写真は使われていた。山口がその価値を認めなかったわけではないが、それでも、現地を見て回ったのは、土地の人の気持ちになるには、直に話を聞く必要があったからだ。

田中舘教授からも「村を移す人々の心持は、航空写真には表れていなかろうが。明治二十九年にせっかく移った人々さえ、何時かもどって、昭和八年には再度被害にあっている。その故郷を離れ難い村の人の心を解くために学んだ民俗学ではなかったか」(『民俗学の話』)と励まされたのだった。

平成二十三年三月十一日の東日本大震災でまたもや歴史は繰り返すことになった。山口は『津波と村』という小著を昭和十八年に発行しているが、その研究成果が活かされなかったのである。また、昭和九年にも東北地方は未曾有の大凶作に襲われた。山口はそのときの思い出を「娘身売りの頃は」(『日本の百年・第十三巻』に収録)と題した一文のなかで触れている。

「私が東北の冷害凶作の稗食残存の二戸村の山村でみた、売られた娘が肺病にかかって、ひそかに帰宅、数年にして両親・妹ともども伝染して死絶した、あのペンペン草の繁った屋敷の肩こけた茅葺の空家がよくそれを物語っている。その荒屋の屋根に、真っ赤なゆりの花が咲いていた印象が今も私のまぶたにうかぶ」

娘を喜んで売りに出す親はいない。借金の取り立てに追い回され、飯米にもこと欠くと、しかたなく最後の手段に訴えるしかなかったのだ。

岩手農村への寄寓を決意

岩手の農村に寄寓を思いたったのも、それがきっかけであった。柳田の口から「君のような、永く東北の地域研究をしている者でも、北部地方の採録には、もっとじっくりと、岩手の農村にでも寄寓して、その土地のなまりの言葉も覚えて共に語り、一緒に村の祭や、家の葬祭にも参加して、歌ったり、踊ったりしてみなければ、口頭伝承である民俗芸能などの言語芸術はわからないよ」と忠告を受けていたことも、大きな判断材料になった。

黒沢尻中学・岩手青年師範への転勤が実現したことで、山口は四年前から寝込んだままになっていた妻ハルエをともなって、岩手県黒沢尻町、現在の北上市に居を移した。昭和十五年三月のことである。

ハルエは旧姓が江川で、山口の従妹であった。坂下町上金沢生まれで、小学校の教員を勤めたこともあったが、夫のために教壇を離れたのだった。

山口は水押集落を調査対象に選んだ。日本のチベットと評される岩手県でも、もっとも厳しい山村であった。あまりにも無理がたたったのか、ハルエは昭和十六年一月に死去した。

それでも山口は調査研究を続けた。そのために以前からよき理解者であった、金沢コウと結婚した。白河市出身で、磐城高等女学校で同僚であった。学問の面でもバックアップを惜しまなかった。

柳田黒沢尻を訪ねる

柳田が黒沢尻町の山口を訪ねたのは昭和十八年のことであった。山口が講演で青森市に出かけていたために、コウが生まれたばかりの子供をおぶって案内した。

コウは同年五月二十五日付の自らの日記に「お父ちゃんが居たら、なにほど感激しただろう。この偉大な老先生を、二度とこの陸中黒沢尻にお迎えすることはもう望めないかもしれないと思うと、こんなにお粗末にしてお帰り願うのは残念でならない。お父ちゃんの、あれほどお慕いしている師匠様なのに」と書き記している。

そこまで民俗学者として徹底しようとした山口であったが、日本の敗戦が濃厚になるとともに、教師生活は重圧となってきた。

昭和二十二年五月二十五日、岩谷高等女学校の教頭に異動を命じられたのを機に、さらに、調査研究に没頭するために、江刺稲瀬村の及川民寿郎宅に同居することとした。八月十五日に敗戦になったために、それは数カ月で打ち切られることになったが、過酷な状況下であってもまめにノートを取り続けた。

日本が敗れたということは、山口にとっては大変な衝撃であった。教え子を戦場に送り出した後悔の念もあって、郷里に帰ることを決意するにいたったのである。

すでに『寄寓生活採録誌』はほぼまとまっており、会津に帰って帰郷採録へと踏み出す準備はできていたのである。

帰郷採録で故郷会津に

山口は「寄寓生活でも手のとどかなかった農村生活の記録を、帰郷、帰農採録によって遂げる」という抱負を持っていた。五十歳を前にして、一切の公職から離れ、妻子とともに野良に出て、家族や村人と一緒に働くことで、学問的にも新境地を開拓しようとしたのだ。山口にとっても民俗学は、柳田の教えそのままであった。

「決して中央の偉い方々が書いた雲上の文献のみが貴いわけではない。われわれが生きてきた家・屋敷・家添えの田圃、毎日使いならした農具・生活用具・意味もよくわからないまま、節々に行っている行事、毎日交わした言葉、炉辺・炬燵で語り伝えた昔話、村々の祠にもなっていない小さい神々が、村の歴史をつくってきたのである。皆、学校がなかったとて教えがなかったと、誰が言い切れるか。昔、親や村の先輩から、立派な、村に生きるための教育を受けてきたのではなかろうか。実はこれらの文字で書かれていない歴史が、我々の身近にあった。ただこれを認識し、整理して、筋道を立てる仕事をおろそかにしてきたのではないだろうか」（橋本武『湖南民俗誌』の序文）

また、山口は柳田民俗学の核心部分について『民俗学の話』で簡潔にまとめている。対象としているのは「有形文化」、「言語解説」、「心意現象」の三つであり、「有形文化」は生活技術、慣習などの生活の諸相、生活外形、生活技術誌で「形をもち目で見て採録できる範囲、即ち旅人によっても採集できる対象」である。「言語解説」は「言葉による生活開設、言語の智識による一切の言語芸術に含まれるもの」で、諺、譬、唱えごと、謎々、童言葉、民謡、語りもの、昔話、その他伝説、説話、世間はなしなども含まれる。「耳による採録」ということもあって、一定の期間寄寓して「耳でしかと聞いて採録しなければならぬ」という条件が課せられる。「心意現象」は人々の生活意識の問題。「言葉で聞き得ない心の採録」として、死後の問題、呪術、禁忌、民間信仰などを扱う。

とくに、山口が重視したのが「心意現象」であった。山口は「旅人や短期間の寄寓ではできない、郷土人、同郷人で始めて採録なり、研究の可能が生じる。郷土人による郷土研究の必ず起らなければならない理由がここにある」と書いており、当然の如く生まれ育った故郷会津に目が向くことになったのである。

しかしながら、帰郷は山口にとっては、大きな試練であった。妹を自分の養子にして、そこに婿を取って跡取りとした。山口が家に入ったことで、家督の争いが生じた。

いかにそれが一時的な帰郷採録者としてであっても、それを理解してもらうのは一筋縄ではなかった。絶望のどん底に落ちたことを、山口は正直に認めている。

「私の一生を通して、これ程に軽蔑、屈辱され、肉親の葛藤のみにくさの真只中にさらけ出され、あきれ果てたことはなかった。長男、食いつめて故郷に帰り、洋服を脱ぎ棄てて皆と同じ百姓姿になると地位も背景もなく、二十数年間の研究に専念した頭脳の中の集積など見える筈もなかった。ただ同列の一百姓として遇され、むしろ違った過去をもつことが屈辱を深める要素になるばかりである。敗戦直後の国民思想の混乱といえば、それも主因に違いないが、夢想だにしなかった現実の最悪の場合が押し寄せてきているようである」(「会津の農村生活―帰郷採録」)

野良に出て磐梯山を仰ぎ見る

民俗学者としての山口は、磐梯山を仰ぎ見て農作業に勤しむことで、民俗学の観点から「古くから開発され、多くの人々が住み、霊峰として仰いだのは会津盆地からである」(『民俗学の話』)との郷愁の念が湧いてきた。

天に向かって架かる橋のような美しさがあり、有史以前から大噴火を重ねてきた磐梯山は、活火山としての荒々しさがあった。当然のごとく会津の人々の信仰の対象であった。

人は会津の地に生まれ、そこで育ったというだけで会津人になるのではなく、立ち返るべき神話的な世界があって、それを踏まえて始めて会津人になるのである。

ルーマニアの作家で宗教学者のエリアーデは『永遠回帰の神話』（堀一郎訳）のなかで、「神話的祖型」というのを問題にした。「未開社会において、ある事物なり行為なりが祖型の反復によってしか実在性を獲得できないという点で、そこには、通俗的な時間、その継続性の断絶がある。この通俗的な時間の断絶において、神話の時が開示される」と述べている。

時間というものは、過去から未来に向かって流れていると思いがちだが、原初の行為として再生されることで、それが切断される瞬間がある。過去、現在、未来という時間の流れではなくして、磐梯山を仰ぎ見るという行為によって、通俗的な時間は断ち切られ、かつての会津人がそうであったように、聖なる領域を回復することになるのだ。

家の崩壊と家族の葛藤

山口の悲劇は肉親同士の争いに直面したことだ。当初から一年か二年を想定していたが、それよりも早く、昭和二十二年五月には、同じ敷地内での別居生活が始まった。

実母や妹が、小屋を改装してそこで住むようになった。感情の行き違いが深刻な事態を招いたのである。敗戦後の農村や家の崩壊はすさまじいものがあったが、その渦中に山口もまた身を置くことになったのである。

いくら農民の血を引いていても、そのことは免罪符にはならない。一度村を後にした者は、あくまでも他所者として扱われ、簡単には仲間にしてくれないのである。

直に農民と接したことで、その厳しさに触れることになったのである。知的な上昇を望まない者たちの排他性は、インテリには刃になって向かってくるが、そこから逃げてはならないのである。

底意地の悪い足の引っ張り合いは、農村特有の社会現象である。そこまでは民俗学の教科書には書かれていない。そこで深く傷つくことで、自分が忘れていた農民の血を確認することになったのである。

愛妻の死と柳田からの手紙

過酷な環境から逃げ出すために、山口は昭和二十二年八月三十一日付で、県立会津女子高校社会科の教員として辞令を受けた。教職生活に復帰することで、かろうじて糊口をしのごうとしたのだ。

そして、会津若松市の二瓶眼科医院の二階の病室に間借りして、再出発を試みた。すでにそのときには、子供が三人になっていた。ようやく気兼ねなく暮らす場所が見つかったのである。

だが、今度はコウがやはり結核で倒れた。それから二年後には帰らぬ人となった。二人目の妻に先立たれた山口は、当然のごとく自暴自棄になった。とくに、コウの場合は志を同じくする伴侶であった。それだけに山口は失意のどん底に落とされた。

再起するにあたって、心の支えとなったのは、再就職先の県立会津女子高校に届いた、師である柳田国男からのお悔やみの手紙であった。

「始めて令室の永折を承知いたし嗟嘆不止候、君は強い人だから定めて此痛悲を堪えへられるならんも、小さい子たちのことを考へ、殊に前年黒沢尻にての対面を憶ひ起し、短い苦労の多い御生涯に対し、我々老夫婦は無限の同情を寄せ申候　何とか出来なかったものかと、今になって定めて御心残りのことならんも、なほ子たちの為に毅然として御力下され度切望に堪へず候　正直のところ君の周辺には少しく厄難が集まり過ぎるが　是とても時代なり　ここを活き抜いて新しい人生を創立するのが　やがては愛児の為　従って又故人の情愛の為かと存じ候　くりことは果てしなく候　山口大兄　御許　四月三十日　柳田国男」

どんな人に対しても、柳田がその境遇に理解を示したのは、すぐに反応する魂があったからである。『雪国の春』に収録されている「豆手帳」の一文が思い出されてならない。

腸チフスで石巻に連れて行かれる途中の娘と、たまたま眼を合わせたことが書かれている。柳田は気仙沼から釜石に渡り、リアス式の海岸道を青森県の八戸に向かう途中の旅であった。

どうしようもない死を目前にしながら、その意味も知らずに何かにすがりつこうとする子供の眼。柳田の身なりをみて医師であればと思ったに違いない。ただの旅人であれば、眼を合わせても、すぐに視線をそらせてしまうはずだ。けれども柳田は、その一瞬で、相手の心を覗き込んだのである。それは山口に対しても、まったく同じであった。

古希を過ぎて燃え盛る研究心

山口は恩師の励ましもあって、子供たちを育てるためにも、三度目の妻である鈴木娃と結婚した。昭和二十六年二月三日に式を挙げた。山口の学者としての本領が発揮されたのは、それからのことである。

昭和三十七年に初版が発行された三省堂の教科書『中等国語1』には山口の「雪国の生活」が載っている。昭和二十九年四月に発刊された『わが国土2　東北地方』のために書いた文章で、東北地方の地理的な特徴を踏まえつつ、そこに住む者たちの暮らしぶりが取り上げられていた。

東北地方というと後進性ばかりが強調されがちだが、山口はそうではなかった。「雪国の生活」では「中央文化よりへだてられて、とり残された地方」にこそ「古い歴史が目の前にくりひろげられたようでびっくりすることがあります」と述べるとともに、「中央の文化地帯には遠いし、山は深く、気候にもめぐまれないので、ほんとうに気の毒なような生活をしていますが、われわれの祖先の生活ぶりをしらべるのには、たいへんたいせつな資料になるわけです」と指摘したのである。

山口は昭和三十年に『東北民俗誌会津編』を出版しているが、「山村民俗誌」では、東山村二幣地、本名村三条、奥川村弥平四郎、只見村田子倉で実施した調査の成果が収められている。本名村三条などは、もはや集落自体が消滅してしまったが、高度経済成長期前の会津の山村を知る上での貴重な資料となっている。

山口は永年の東北地方研究が評価されて、昭和三十四年には河北文化賞に輝き、翌年には、若い頃に手がけた「津波常習地三陸海岸地域における集落の移動」の論文によって、東京教育大学から学位が授与された。

昭和三十八年には上京し、福島県出身の太田耕造に請われて、亜細亜大学で地理学、地誌学を講じることになった。さらに、山口は満七十歳の古希を迎えたときには、教職課程を新たに設けるということで、創価大学からの招聘を受け、そこで十七年間にわたって教壇に立った。

会津に帰省したのは平成元年のことで、それから平成十二年一月二十九日に、九十八歳で死去するまでの期間、会津にありながらも、柳田国男の高弟として後進の指導にあたった。

私が山口の謦咳に接することができたのは、会津に戻ってきてからのことである。私が平成二年に出版した『郷愁の民俗学——みちのく人の柳田国男』の序文を快く引き受けてくれたからだ。そこで山口にも言及していることに触れ、「縁故も顔見知りもない、老書生の生涯の研究生活を、かくもたんたんとこのように述べられてみると面はずかしいようにも振り返る」とも書いてくれた。

また、山口は柳田民俗学に関しても「もう私も柳田先生よりも長く生き、時代の急変転にもみくちゃにされている観もないではない」と前置きしながら、「しかし学問の追求は一歩ずつ進めなければならない。もう若い学生に地理学、民俗学を講じる席は去ったが、郷土の東北地方に帰り、半生を費やした。東北地方に固持されてきた日本民族の生活伝承研究は、シルクロード二十六年の踏破の旅を終えて、再検討してみたら、少しは学問も進まないものでもなかろう」とまだまだ研究心が旺盛であった。

山口がシルクロードを踏破したのは、古希を過ぎた創価大学時代であった。山口は会津を知るために、まず奈良・京都、そして出雲へと関心が向き、その後は朝鮮半島や中国、そして最終的に行き着いたのがシルクロードであった。

会津の二筋手拭いの由来

山口は文明の変遷もテーマにしたが、それ以上にありふれた生活の一こまを学問の対象にした。柳田の晩年には、頻繁にメモをしに成城の自宅を訪ねた。そこで教示を受けたものに「手拭い」がある。

会津の二筋手拭いについて、山口は「冠の名残ではないか」とみていた。山口からすれば、筒

袖に手甲、編笠に二筋手拭いといった支度で若い娘が野良に立つ姿が美しかったので、ついつい
そう思えてならなかったのである。
　柳田は山口の話を聞いて、二筋手拭いに関心を抱くようになり、わざわざ実物を求めたほどで
あった。そして柳田は「手拭いは、にぎりめしがにぎって持てるようになった、個人所有の食事
の私有財産の始めであったように、家族特有のものであった。もとは日本の家族には私有財産は
なかった」と述べ、枚数に注目したのである。
　手拭いで身を飾るようになったのは、「木綿がはいって白になった」からであり、「拭うように
なってから形が変わった、二筋手拭いは三角ぽっちの変形かもしれない」との見解を示した。そ
の辺のことは、山口の『東北地方の研究と柳田民俗学の実践　体験と民俗学』で触れている。
　山口はおびただしいメモとノートを残した。七十年以上にわたる学究の徒としての足跡を、私
はなぞることもできない。私があえてプライベートなことまで取り上げたのは、それを抜きにし
ては、山口の民俗学は語れないと思うからだ。
　柳田国男においては、類まれな詩人的感性がまずあって、その鋭敏な感覚が、日本民俗学の樹
立に貢献した。山口においては、幾度となく人生の悲哀を体験したことで、日頃は何気なく見過
ごしている事象に、新たな光を当てたのである。かけがえのない伴侶に、二度までも先立たれ、
野良に立っては、百姓になり切れない自分を心底情けなく思う。その挫折がバネとなって、山口
は民俗学の深みにまで投錨したのである。

第三章　柳津虚空蔵尊謎の歴史──自由コミューンのアジール

柳津虚空蔵尊と円蔵寺が千二百年前に開基したという見方には異論がある。もっと古い可能性があるからだ。平成八年に勝常寺の薬師三尊像が国宝に指定されたが、そのために尽力したのが文化庁の主任文化財調査員であった松島健である。地元湯川村での講演会で、松島氏が語った一言が未だに耳に残っている。

「明らかに勝常寺の薬師三尊像は徳一の手になると思われるが、これは先行する仏教文化がすでにあったからだ」と断言していたからだ。徳一が来る以前に仏教文化が根付いていたということを、権威のある立場の人が口にしたのには驚いた。

会津地方には高寺に梁の青岩がお寺を立てたという伝承がある。日本への仏教公伝は欽明天皇十三（五五二）年、さもなければ、宣化天皇三（五三九）年だと歴史の教科書には書かれている。青岩が会津にいたのはそれ以前のことだと伝えられており、それが本当であれば大変なことである。

百済の聖明王が日本に仏教を伝えた前に、大陸から仏教を日本に伝えようとしたお坊さんたちはたくさん日本列島に入って来ている。青岩がそれらの人たちとどこが違うとかといえば、伽藍を建てたということだ。そんなことは公伝以前に考えられないというのが今でも通説となっている。

会津坂下町の高寺があったとされるあたりは、隠国《こもりく》という表現がピッタリする。普通は奈良盆地の長谷寺周辺や法隆寺の大和平群、奈良盆地の南部が代表的な場所といわれるが、同じような風景のところにお寺が建ったとしても不思議ではない。

柳津と古代の沼田街道

柳津のある場所は地理的に見ても重要である。東山道は近江から岐阜に出て長野、それから上野、下野に出て奥州の多賀城までの古代のルートである。それと上野でつながるのが沼田街道である。会津側からみれば七折峠を過ぎて今のコンビニがあるのが追分にあたる。右が越後街道、左が沼田街道。そこから柳津、金山、只見を経て桧枝岐に出て、尾瀬沼を越えて片品から沼田までの道のりである。しかも、東山道から沼田から尾瀬を通って柳津に出て会津盆地という古代のルートは、東国から奥州を目指す最短距離である。

古事記によれば崇神天皇の時代に、越の国を平定した大彦命、東国を平定した建沼河別命《たけぬなかわわけのみこと》が会津で出会ったという伝説があるが、私は東国からというのは沼田街道ではないと思う。もっと東の鬼怒川からという見方もあるが、それだと日光に出るには金精峠を越えなければならない。今でも冬季間は不通になる難所で、かなり遠回りになる。もっと南であれば碓氷峠から下野まで出なくてはならない。それよりも沼田からの方がはるかに会津に近い。

上野、下野に分かれた毛の国には崇神天皇の皇子である豊城入彦命が派遣されており、毛の国の支配を確立してから、会津に入ったというよりも、同時進行であったのではないだろうか。

福島県は会津、中通り、浜通りの三つからなっているが、間違っても中通りや浜通りから建沼河別命が会津を目指したとは考えられない。白河から水戸に抜ける久慈川に面した水戸街道は、景行天皇の時代の倭建命の白鳥伝説などが残されているが、崇神天皇の時代よりも後であるからだ。

毛の国と会津をなぜ同列に置くかだが、それは大塚古墳を始めとする古墳群が会津にあるからだ。会津盆地の南東部に大塚山などの一箕古墳群、北東部の雄国山麓に常世古墳群、北西部に宇内青津古墳群があるほか、南部には田村山古墳がある。驚くべきことに青津の亀ケ森古墳や鎮守森古墳は、原大和ともいわれる桜井市の巻向古墳群と同じような形をしている。

十数年ほど前のことだが、たまたま私は車で長谷寺に行く途中に、田んぼの真ん中に大きな古墳があった。掲示板には箸墓《はしはか》古墳と書かれていた。会津坂下町青津にある古墳と似ていたのにはビックリした。

邪馬台国に関しては九州説と大和説がある。大和の説では卑弥呼の古墳は箸墓古墳だと断言する人すらいる。大和朝廷が会津を統一したのは四世紀といわれるが、それ以前に奈良盆地の勢力が会津盆地に入ってきたのではないだろうか。

会津若松市の大塚山古墳も四世紀末とみられているが、同じく一箕古墳群に属する堂ケ作山古墳はそれよりも古く、邪馬台国の時代と重なるとすらいわれる。さらに、二つの古墳の近くに位置し、白虎隊の自刃の地として知られている飯盛山も、古墳であったとみられており、三つのなかで一番古いといわれる。

毛の国から奥州に入る最短コースに位置する柳津は、当然のごとく重要な役割を担ったはずだ。とくに柳津は沼田街道と越後街道を結ぶ西方街道につながり、昭和に抜ける道路から南郷にも行けることから、縦横に道路網が整備されている。柳津虚空蔵尊もあるべき場所にお寺が建てられたのである。

それと同時に、柳津は会津盆地の縁にあたる。奥会津の支配者とも接することになり、葦名の時代においても、会津盆地は葦名の支配地であったが、奥会津は山内であったわけで、どちらとも交流ができる場所であった。社寺としての独立性を保てたのではないかと思われる。

徳一の自然智宗と十三詣り

徳一との関連で指摘しておかなくてはならないのは、法相宗における「自然智宗《じねんちしゅう》」の信仰である。会津在住の生江芳徳が書いた『徳一の周辺（下）』を参考にしながら考えてみたい。「自然智宗」のことを生江は次のように書いている。

「日本には古来より山林修業によって、知慧を得るという修業方法があり、この方法は特定の学派　宗派に関連するものではなく、自然智宗といわれるものです」

「自然智宗」を積極的に取り入れたのが法相宗であった。猿沢の池を挟んで南が元興寺で、北が興福寺で、いずれも法相宗であった。今の元興寺は真言律宗に属し、当時の面影を偲ぶことはできない。

日本の法相宗の歴史を紐解けば、唐に唯識の思想をもたらした玄奘や法相宗の開祖慈恩大師窺《き》基《き》から学んだのは、南寺系と呼ばれる元興寺の道昭や智通であった。道昭は第一伝者、智通は第二伝者といわれている。その後に行基や護命が続く。

これに対して現在も法相宗の興福寺は北寺系と呼ばれ、唐の智周から学んだ第三伝者の智鳳、第四伝者の玄昉が出ている。

元興寺の護命らは比蘇山寺を、興福寺の賢璟や修円一派は室生寺を修行の寺としたのだった。とくに天長十（八三三）年から嘉祥三（八五〇）年までの十八年間を扱っている『続日本後記《しょくにほんこうき》』では、護命の生活について「月之半入深山修虚空蔵法。下半在寺研精宗旨」と紹介している。すなわち月の半分は比蘇山寺で虚空蔵法を実践し、残り半分は平地の寺で法相教学を取得したというのだ。

最澄は法相宗を批判するにあたって、「自然智宗」が法相本来の教義と無関係であることを痛烈に批判したが、修円の弟子であったとも伝えられる徳一は、その系譜に連なっていたとみられている。

生江は柳津虚空蔵尊をはじめ、慧日寺の薬師如来と北山薬師で、それぞれ八月八日に二歳児が参詣するという「ふたつご詣り」の祭事に言及している。とくに慧日寺に関しては「昭和二十年代後半までは、二歳児を背負って廏岳山《うまやさん》に登っており、これは山の霊気に触れることによって、身体が堅固になりかつ、頭脳が明晰になるといわれており、これなどはあたかも、自然智宗が目標とした『生知』、すなわち『生まれながらの知』を獲得する行為をおもわせるものがあります」と解説している。

虚空蔵尊については「十三詣りといって四月十三日（もとは陰暦三月十三日）に参詣するという信仰があり、これを『智慧詣』ともいい、この行事は虚空蔵求聞持法によるものと考えられます」との見解を示すとともに、「以上二つの信仰は奇しくも徳一と関係のある寺で行われていることは注目してよいであろうと思われます」と述べている。

柳津虚空蔵尊に法相宗の信仰の痕跡が残っているとすれば、それこそもっとPRすべきだろう。ただし、法相宗の自然智宗というのは、日本の民俗信仰を踏まえたものであるのなら、その観点からも掘り下げる必要がある。

柳津虚空蔵尊と『新編会津風土記』

享和三（一八〇三）年から文化六（一八〇九）年にかけて編纂された『新編会津風土記』で柳津虚空蔵尊がどう記述されているか、解読してみたい。江戸時代の終わりにまとめられたものではあるが、色々な資料にもとづいて書かれており、信頼に足る文献といわれる。

「虚空蔵堂　村東岸上にあり、八間一尺四面、高五丈餘、西南に向ふ、庇縁勾欄ありて西南面に舞台を構へ数仞の石壁に臨めり、只見の長流其下を過ぎ、山色明媚にして、怪巌畫くが如く無雙《むきゅう》の霊場なり、大同二年徳一の創立とも云ひ、又慈覚の創立とも云、或る説には弘仁三年の建立と云、本尊を福満虚空蔵と云、長一尺八寸、空海の作にて安房国清澄《せいちょう》と常陸国村松と、当山の霊像を併せて一木三体の作とす」

ここで注目されるのは、徳一の創立ということがきちんと書いてあることだ。湯川村の勝常寺については縁起が空海となっているので、空海を前面に出している。磐梯町の慧日寺に関しても同じである。しかし、『新編会津風土記』では、会津に来たとされる年代には、空海は九州にいたとも記述されており、よく読むと徳一だということがわかる。

もう一つ注目されるのは「又慈覚の創立とも云」との文言があることだ。慈覚大師円仁は第三代天台座主。下野の壬生生まれで、十五歳で比叡山に上がり、最澄と徳一が論争するきっかけになった最澄の東国巡遊に従った記録が残されている。桓武天皇が東北を慰撫するために天台宗を後押ししたことはよく知られているが、徳一亡き後の会津を含めて、東北全体が天台宗の勢力圏に入ったのは、東国出身の円仁がいたからなのである。

遣唐使の一員として空海や最澄は派遣されたが、空海は最先端の密教を学んできたのに対して、最澄は密教をあまり学ぶことができなかった。密教の点で空海に後れを取ったので、わざわざ円仁が唐に出かけたのである。本当は天台山に登りたかったが、それはかなわず、五台山や長安で密教を取得し、台密と呼ばれる独自の密教を打ち立てることになった。それでもって天台宗はあっという間に東北を席巻したのである。

「虚空蔵尊」のなかで円仁の名前が出てくるのは、会津地方のほとんどの寺が天台宗になった時代があったからだろう。慧日寺も最盛期の伽藍配置などはまさしく天台宗である。磐梯町では目下、史跡慧日寺の復元に着手しているが、あくまでも初期の法相宗の寺で、室生寺をモデルにしている。中門があって金堂というのは、回廊が建物ではなく、砂利を敷き詰めているのは、初期の法相宗にこだわったからだ。円仁が開山した寺は関東で二百九カ寺、東北で三百三十一カ寺とも評され、山形の立石寺、松島の瑞巌寺などが有名である。

円蔵寺を支配しようとした蒲生秀行

柳津虚空蔵尊と円蔵寺は一体なので、いうまでもなく『大日本地誌大系　新編会津風土記　第四巻』「別當円蔵寺」の箇所も重要である。「虚空蔵尊堂の東山腰にあり、霊厳山と号す、大同二年に本堂と共にこの寺を建立す、法相宗なりしが、至徳年中に徳一の裔孫《えいそん》義乗霊夢の感ありて郭内興徳寺第三世大圭に嗣法し、臨済宗となる。葦名の時既に許多の寺産あり、因って天正十八年豊臣太閤此地に下向し給ひしとき、秀次より寺料二百石の寄付あり、其後蒲生加藤両家のとき寺料故の如し当家封に就に至て、二百石の地を附し堂料とせり、慶長十六年故ありて蒲生家より臨済の住職を停め、府下真言の僧四員に命じて輪番に寺務を掌《つかさど》らしめき、其年地震暴水ありて屋宇漂流し、此寺も災に罹り多く経巻什宝を失へり、其翌十七年の春又大地震ありて寺の後山崩れ僧房を破り、看寺の僧二人を圧殺し、禅僧一人其傍にありて恙なかりしかば、里俗其祟なるべしと驚怖せり、其後大坂の役起りしとき、蒲生忠郷の母堂は東照宮の姫君なれば、本堂に祈願ありしに大坂の事畢《おわっ》て後其報賽のためとて殿宇再興あり、又江戸に朝し、白書院にて謁見することを許さる、寛永四年に臨済に復し興徳寺の末山となる、此寺もとは山下にありしが、屡《しばしば》回祿《かいろく》に罹り、安政五年此に移せり」

興味深いのは、徳一の流れをくむ義乗なる法相宗の僧が出てくることだ。至徳年中の出来事であるとすれば、葦名直盛が東黒川の館をつくった頃で、大同年間からは四百年以上が経っている。そのまま鵜呑みにはできないが、かなり後まで法相宗の寺として存続した可能性がある。義乗は興徳寺の第三世大圭から弟子として教えを受け、臨済宗になったという史実は、それなりに説得力がある。

寺料二百石を寄付したとして秀次の事績と記されているが、客観性を重んじる『新編会津風土記』だけあって、「将軍家譜を案するに、天正十八年の頃は秀次いまだ中納言にて、天下の政務を任せしとも見ず」と補足的な説明を加え、疑問を呈している。

秀次は豊臣秀吉の姉の子。一時期秀吉の養嗣子となり関白となったが、秀頼が誕生したことで疎まれ、最終的には高野山で切腹をしている。なぜ円蔵寺に秀次なのかが問題になるが、蒲生家を存続させるうえで貢献した立役者であったがために、名を留めることになったのではないだろうか。

そこで興味深いのが「慶長十六年故ありて蒲生家より臨済の住職を停め」の文章である。これはどう理解するかだ。蒲生氏郷から秀行は家督を継いだが、総石高の過少申告もあって、秀吉から睨まれた。その窮地を助けてくれたのが関白となった秀次であった。そのことと無関係ではないだろう。

しかし、それもつかの間、慶長三（一五九八）年には宇都宮十八万石に移封される。石田三成の差し金があったともいわれている。そして上杉景勝が会津の支配者となり、関ヶ原の合戦が勃発したのだ。そこで上杉方が敗れたことで、再度蒲生に会津を与えられることになったのである。秀行の妻は家康の娘の振姫だが、だからといって、徳川に信用されていたかとなると、これまた疑問である。

蒲生家のお家騒動は、豊臣と徳川の双方から働きかけがあったからである。それに懲りた秀行は、徳川との関係が深い臨済宗と一定の距離を保とうとしたのではないだろうか。あくまでも憶測ではあるが、それだとすべて説明がつくからである。

徳川幕府の初期には、家康から秀忠、家光と三代にわたって仕えたブレーンに臨済宗の崇伝という僧がいた。崇伝は黒幕として裏で支えた。鎌倉幕府以来の流れとして、有力な武士団のバックアップを臨済宗は受けていたのである。

顕密仏教とは法相宗などの南都六宗と天台宗と真言宗を総称した名前で、バックにいるのは朝廷である。新興勢力である武士団は、当然のごとく禅律僧に頼るようになった。

徳川幕府への警戒心から蒲生家は臨済宗から真言宗に変わった可能性が高い。若松城下の弘真院と呼ばれる秀行のお墓が真言宗であることからも、それが裏付けられる。

このため真言宗の僧がきて円蔵寺を管理するようになったが、慶長の大地震があったのは、何とそのときであった。一般の庶民にとっては、政治的な駆け引きはどうでもいいわけで、自分たちが信仰していた臨済宗が袖にされたので、猛反発したことは容易に想像がつく。

臨済宗のような禅律僧の場合は、戒律の復興を至上命令とした。俗世間に染まった仏教へのアンチテーゼとして成立したからである。禅律僧は顕密仏教の小袈裟に対して、墨染めや香染の大袈裟を着用し、食事を朝粥・中食の二回に限定した。生臭ではない禅律僧を目の当たりにして、一般の庶民の心が動かなかったはずはない。

秀行の死後は忠郷が継いだが、寛永四（一六二七）年に二十六歳で亡くなったために、またも や御家断絶の危機を迎えた。忠郷の弟忠知が出羽上山藩を領していたこともあり、一旦は伊予松山に減移封され存続を許されたが、忠知後継ぎがなく三十一歳で亡くなったために、そこで蒲生家は断絶となった。

『別當円蔵寺』が臨済宗に戻ったのは、加藤嘉明が会津に入ってくるのを俟たなければならない。その加藤家にしても、嘉明の子の明成で途絶えたのは、いつの日か親藩に会津を与えるとの目論見が徳川幕府にあったように思えてならない。

アジールとしての柳津虚空蔵尊

柳津虚空蔵尊がアジールの聖地であったことも、秀行の反発を買ったのではないだろうか。臨済宗を含めた禅律僧というのは、一般の僧とは異なっていた。網野善彦は『日本の歴史をよみなおす』において、禅律僧の果たした役割を論じている。

「律僧は勧進、現代流にいえば寺社の修造のための寄付金集めにおおきな役割を果たしています。

当時寺院や神社を建てたり、修理するためには、神のもの仏のものとして集められた銭や米などを、その費用とするという形をとりました」

自由に手形なしに関所を通ることができたのは、神や仏のための資金集めに携わっていたからだ。とくに、鎌倉中期以降はそれが活発になった。托鉢というと禅僧が思い浮かぶが、律僧と共通していたがために、一括して禅律僧と呼ばれることになったのである。それがいつしか徳川幕府に接近するようになったのは、世の趨勢としてやむを得ない事情があったからだろう。自由に全国を回る権利を保証してくれるのは、天下を統一した権力者以外にないからである。

至徳年中に会津に臨済宗が入ってきたときには、鎌倉幕府の後押しがあったはずだ。それから戦国時代の終わりにかけては、武士団の中心との関係を維持し続け、最終的には徳川幕府の後ろ盾を得たのである。

網野は『無縁・公界・楽』において、禅律僧を平和の使者のなかに含めているが、それは無理があるように思えてならない。

「三昧聖・勧進上人・禅律僧・山伏をはじめ、連歌師・茶人・桂女等々、商工民を含む広義の『芸能民』は、みな平和の使者たりうる『平和』な集団であった」と述べているのは、自由に往来が可能であったことから推察するのだろうが、なぜ禅律僧が許されたかを突き詰めて考えるべきなのである。

臨済宗と徳川幕府との強い結びつきを察知した秀行は、混乱を承知で先手を打ったのではないだろうか。いかに母親が家康の娘であろうとも、外様大名の悲哀を痛切に感じていたはずだ。もちろん、アジールに出入りしたのは、禅律僧にとどまらず、様々な人がいたと思われ、柳津虚空蔵尊には忘れられた歴史が隠されているのである。

平泉澄のアジール論

アジールという言葉を、最初に日本で用いたのは平泉澄である。平泉の『中世に於ける社寺と社会との関係』を抜きには、日本のアジールを語ることはできない。

平泉はアジールを日本の中世の特筆した出来事として位置づける。そして、中世の時代区分を後白河天皇の保元元（一一五六）年から、織田信長が足利義昭を将軍の座から追放した正親町天皇の天正元（一五七三）年までの四百十八年間とした。

中世の特色を「上代の如く隋唐文明の模倣にあらず、近世の如く儒教特にその朱子学の支配を受けずして、むしろ仏教を主とする社寺の勢力の下に在り、一種独特の色彩を発する点にある」とまで言い切った。

さらに、大和朝廷の律令体制が形骸化して「公家すでに衰えて国家統制の実力なく、武家未だ盛んならず」との時代的な背景があったというのだ。

アジールを成立させた基盤は旧仏教であると断言したのが平泉である。アジールが崩壊する後半に、禅律僧らが登場して、その役割を担ったというのは、時系列的な順番を踏まえている。中世が仏教のもっとも力があった時代だというのは、会津にもあてはまる。九世紀の初めに徳一が慧日寺を開基したときから、芦名が会津での支配を強固なものにするまでの期間は、有力な地元の豪族の名前は歴史に記されておらず、乗丹坊にしても、あくまでも慧日寺の衆徒頭であった。

乗丹坊は養和二（一一八二）年、越後の城助職と共に、木曾義仲を討つために信濃国へ出陣し、横田河原で戦死している。慧日寺は僧兵数千とも評されており、会津全体か、少なくとも盆地の支配者であったとみられている。

会津も御多分に漏れずに中世史の資料が乏しい。それでも平賀が想像しているような力を社寺が持っていたことだけは想像がつく。それによって、会津の中世史の見方もガラリと変わってくるのである。

「中世に於ては社寺は全く特殊の地位を保ち、殆ど治外法権を有っていたのであるが、戦国の末、有力なる大名は、己が統治権を完全にせんが為に、社寺のアジールを否定するに至った」との平泉の説には根拠がある。武装した社寺は天下統一を目指す者にとっては目の上のたんこぶであった。敵に回る可能性があったからだ。そこで徹底的に叩きつぶされることになったのである。

会津の中世史を俯瞰しても、三浦氏の流れをくむ佐原義連が会津を与えられてから、実際に支配者として君臨するまでには、かなりの歳月がかかっている。寺社勢力の抵抗もあったのではないだろうか。

信長の後を受けて天下を実際に統一した秀吉は、アジールを断絶することを決断した。その象徴的な出来事が天正九（一五八一）年の高野山攻めであった。天正十三（一五八五）年には高野山に謀反人を抱えおくことのないように、との達しを出している。

柳津虚空蔵尊に匿われた山内一族

中世が終わって近世になってからも、柳津虚空蔵尊が社寺のアジールとして存在した。郷土史家相田泰三が「会津藩教学の祖横田三友俊益」（昭和五十一年四月発行の「会津会々報第八二号」）のなかでそのことに言及している。

俊益の祖父山内掃部助斎俊の城は大沼郡滝谷にあったが、伊達政宗の会津侵攻によって葦名が滅ばされると、豊臣秀吉が会津全領を蒲生氏郷に与えたことで山内一族は流浪の身となり常陸、越後、福島の間を漂泊した。俊益の父である俊次が母親と共に難を逃れることができたのは、柳津虚空蔵尊の奥の院に隠れたからである。

俊次は若松城下で検断職に就いていた倉田為美に見込まれて、次女の婿養子となった。倉田は永禄五（一五六二）年に会津にやってきて鉄砲業を営み、数年にして巨万の富を蓄えたが、男子には恵まれなかった。

俊益が十歳のときに、父は「今、市中にあって貨殖を業としているが、心中財は貴ばない」と述べるとともに、「汝こそ本氏をつぐべきである。姓は山内といっても、横田といっても、汝の好みにまかせる。文字の形の美しい点では横田が勝れている。また『俊』の字はわが家通用の文字であり、『益』の字は形が正しく意味も『嘉祥』の意があって目出たいから、只今から汝の名は三平を改めて『俊益』と言うべきである」と訓辞をたれたのだった。会津藩教学の祖である俊益の父俊次が無事であったのは、世俗的な権力が介入できない、アジールとしての柳津虚空蔵尊のおかげであった。

会津盆地の縁にあたる柳津

柳津は会津盆地と奥会津との接点で、葦名と山内の縁の部分にあたる。境界線上に位置することで、どちら側にも行けるメリットがあった。奥会津の山の中で引きこもってしまうと、外の世界との交渉は難しくなる。それと比べると柳津は地の利に恵まれている。

『新編会津風土記』の「柳津村」には「早坂峠　村東にあり、登ること八町計《ばかり》、此を越て大野新田村に至る、田沢通とて府下より此村に至る別格なり」と書いている。大野新田村からは若松城下まで「四里十八町」の距離で、主要街道を通らなくても近道が整備されていたのである。

さらに「柳津村」に属していた牛沢組が「東より北に回って坂下組に連、西より北に回て野沢組に隣り、南は大沼郡高田組に続き、西南の隅は大沼郡瀧谷組に交はれり」と記されている。会津盆地の西側と、それに隣接する山間部が含まれているのだ。柳津は山の中にありながらも、会津盆地と密接に結びついていた。牛沢組に関しては蜷川荘と称されていた時代もあり、柳津が山間部に孤立していたわけではないのである。

アジールの崩壊は中世の崩壊

社寺が没落した原因として平泉は「武力自らが招いた禍であった」と書いている。いくら武装をしても限界があった社寺は「その土地を押領せられ、その殿堂を焼却せられ、忽《たちま》ちにして衰亡退転せざるを得なかった」からである。

また、戦国時代にも栄えていた社寺は「自ら兵力を養ひ、之に加ふるに近隣の諸豪族と離るべからざる血縁の関係を結び、互に合従連衡して居った」がために、超然とした立場を貫けなかったこともある。「自ら武装し、或いは豪族と提携して、戦乱の渦中に入り来るとき、その豪族の傾覆と共に沈淪し、天下の統一と共に衰亡すべきは、当然の理であるからである」と平泉は解説している。局外者の立場を放棄してしまえば、戦いの渦中に身を置くしかなかったからであり、いつしか有力な大名が登場するにともなって、社寺のアジールは否定されるにいたったのである。

伊達の会津侵攻にともなって、会津の社寺の大半は焼け落ちた。葦名氏との関係が密接であったからである。磐梯町の慧日寺も例外ではなかった。柳津虚空蔵尊だけは別であった。アジールとしての力が残っており、山内家にゆかりの人々を守り抜いたのは、社寺としての誇りを失っていなかったからなのである。

中世というのは、武士は登場したばかりであり、商人の力もそれほどではなかった。信長や秀吉の天下になって、アジールの場は狭められ、社寺の特権的な地位が剝奪される。それが幸福であったとは思えない。権力の支配が網の目のように及ぶ世界では、自由な空間は縮小してしまうからである。

柳津虚空蔵尊の歴史を振り返ることで、会津の古代史のスポットをあてつつ、どこよりも社寺が支配したであろう会津の中世にも目を向けるべきなのである。

勝手な想像が許されるのならば、私の前に浮かび上がってくるのは、日本への仏教公伝以前に、越後から阿賀川を遡って会津を目指した大陸の僧の姿であり、一部は権力者の協力者であったとしても、無縁・公界の場である柳津虚空蔵尊に足を踏み入れた人々の自由闊達な熱気である。

網野善彦のように自由コミューンや桃源郷を思い描きたくなってしまう。会津という閉ざされた空間のなかに、いかに周辺部とはいえ他所との交流が活発な拠点があったというのは、驚愕すべき出来事である。古代から東アジアに開かれた窓として会津があり、アジールがあったとすれば、歴史は根本から書き改められなければならない。

歴史は教科書に書かれていないことの方がはるかに多い。書き残されたわずかな文字から、想像を超えたドラマが見えてくるのだ。とりわけ柳津虚空蔵尊の歴史にこだわるのは、民衆のエネルギーの秘められた力がみなぎっているからである。あえて会津の古代や中世にこだわるのは、日本人の血に流れている庶民の歴史が刻印されていると思うからである。

第四章　埴谷文学と祖父の墓——南相馬小高を訪ねて

埴谷雄高という作家を理解するのには手間がかかる。だからこそ私は、彼の出自にこだわった。それが邪道かどうかは、私にとってはどうでもいいことだ。一人の作家について、私自身が自在に言葉を紡ぐことができれば、それで満足なのである。埴谷の核心部分から外れるか、的を射ているかは、第三者が判断することなのである。

そんなことを考えて埴谷の本を読んでいたら、無性に南相馬市に行きたくなった。百聞は一見にしかずといわれるから、さっそく車で向かった。浪江町に入った途端、除染のトンバックが山積みであった。南相馬市の小高地区も住民が帰還したのは二年前であった。カーナビの案内で目的地に着いたらば、目の前に大きな家が一軒建っていた。

そこでたまたま居合わせたその家の人に、「埴谷の住んでいた家はどこですか」と尋ねたら、その男の人が「ここだよ」と答えてくれた。「お名前は般若さんですか」と聞くと、「般若さんから家を譲り受けたんだよ」と親切に語ってくれた。年表によれば、昭和七、八年のことではなかったかと思う。

般若家と同じく相馬家の家臣で、ご自身が十五代目だという伏見定則さん。鎌を手に、小高い丘の上にある埴谷の祖父の墓まで案内してくれた。

台湾で生まれた埴谷

埴谷が生まれたのは、戸籍上は明治四十三年一月一日で、父般若三郎、母アサの長男としてであった。埴谷の本名は般若豊である。姉が一人いた。父が台湾製糖株式会社の社員であったために、台湾新竹での誕生であった。実際は明治四十二年十二月十九日であったといわれるが、出生の年月日ですら、事実とはズレがあるのだ。それがかえって埴谷らしいように思えてならない。

なぜ福島県相馬郡小高町(現在の南相馬市)が出てくるかというと、小高町岡田に本籍があったからだ。埴谷は小高町との結びつきについて、『思索的渇望の世界』において、聞き手となった吉本隆明や秋山駿の質問に答えている。冒頭の部分でのことである。まず初めに言っておかなくてはならないことだったのだろう。台湾が出生の地であることで、異端的な世界に身を置くことになり、日本というものを、普通の日本人とは違う視点で眺めることになったのである。

小高地区は父の故郷であっても、埴谷とは間接的にしかつながらなかったが、そこにしか日本との結びつきはなかったのである。そのような運命を辿ることになったのは、相馬藩の没落士族の典型であったからである。

「ぼくの祖父は相馬藩ですが、明治四年の廃藩置県、家禄奉還のとき田畑や山をもらって百姓になった。いま相馬市となっている中村という町から小高へ、そのとき相馬藩の藩士が四軒移って百姓をやるようになったのです。ところが、ぼくの祖父は一回も鍬を持たなかったんですね。百姓になるのが、よほどいやだったのか…、とにかくほかの三軒はちゃんと百姓になりきったのですが、ぼくの祖父はいっぺんも鍬を握らなかったので、たちまち土地は抵当に取られて、ぼくのうちだけ没落したんです」

その悔しさを味わった埴谷の父は、台湾で仕事をすれば、熱帯で給料が倍になることを知り、税務官吏を辞めて新天地を求めたのである。そして、少しずつ土地を買い戻して、最終的には全部を買い戻した。暗い没落をくぐり抜けて、太陽の日差しを浴びるまでになるには、父親の苦闘があったのであり、それを埴谷は目の前で目撃したのである。

本多秋五が集英社の『日本文学全集埴谷雄高・堀田善衛集84』の埴谷雄高の解説文で、小林清治の『物語藩史』の第一巻『東北・北関東の諸藩』を引用し、般若家が相馬藩のもっとも古い家柄であったことを紹介している。

相馬氏は平将門の何代目かの子孫が下総国相馬郡を支配して、相馬を名乗ったのが始まりといわれる。その初代相馬氏の子孫が、源頼朝の奥州征伐の功によって、本領と合わせて陸奥国行方郡（現在の相馬地方）をもらった。そのまた何代目かが分家してこの飛び地を領した。その後、下総の相馬氏は歴史から消えたが、陸奥国の相馬氏は明治維新まで続き、相馬といえば、後者ということになったのである。

「相馬氏の一部が陸奥国行方郡に移住したのは、鎌倉時代の後期で、従う者は八三騎であったと記録されているが、そのうち名前が分かっている二二名に般若も含まれているのである」

埴谷は古い家柄であったことを誇るようなことはなく、吉本や秋山に向かって、たいした功績はなかったということを強調している。しかし、埴谷自身がかなり調べなければ、そうした歴史的な出来事を把握できるわけもなく、先祖について関心を抱いていたことは確かである。

「般若家というのは、相馬藩では最初からいた古い藩ですが、系図を見ると、ろくな先祖がいませんね。だいたい二百五十石と百五十石の間を、『不届きにより隠居、知行半減命ぜらる』とか、『般若家は名家なれば元へ戻す』とか、行ったりきたりしている。そのなかでただ一人だけ、ぼくの家らしからぬ人物がいて、新地というところで戦争をしたとき、敵方が撃った鉄砲の玉が、そのぼくの祖先の歯に当たったんですね。そうしたら鉛の玉が歯で止まって歯が折れたんです（笑）。その頃のことですから鉄砲で撃ったやつの姿は向こうに見えているんですね。それで追いかけて行って、その撃った相手を彼は斬り倒した。感心なりというので、殿から感状をもらったと系図に書いてあるが、武勇伝らしきものを示しているのはその一人だけですね（笑）。あとは全部放蕩したり、女のことで失敗して、家をつぶしかねない駄目な祖先ばかりですがね」（『思索的渇望の世界』）

父が建てた祖父の墓

埴谷がそこまで先祖のことを調べ上げているのは、十二歳まで台湾で育ちながらも、父母が日本や故郷への思慕を募らせていたからだろう。とくに父の場合は、台湾に出稼ぎに行って頑張ったのは、般若家の土地を取り戻すためで、それがかなえられれば、一日も早く故郷小高町に戻りたかったのである。

父親の夢がかなない、埴谷が東京に住むようになったのは、大正十一年のことであった。翌年四月には台南第一中学校から目白中学二年に編入し、東京での生活が始まった。しかし、家族が一緒に東京で暮らしたのは、ほんの二、三年のことで、それから五年くらいは、父親は単身で小高町に暮らすようになり、そこで亡くなったのである。中学生であった埴谷は、夏休みになると、決まって父と過ごした。そこで般若家の血を受け継ぐ父の後姿に接したのだった。

二人の間の会話はほとんどなかった。わずかに晩のおかずを何にしようかという程度であった。それでも、埴谷は父親がいかに故郷を愛し、そこで死のうとしていることが、以心伝心で分かった。

共産主義の運動に加わった埴谷は、豊多摩刑務所に入っていたときに、金が必要になってその土地を売ってしまったが、それでも祖父の墓はそのままで、埴谷が死ぬまで本籍は小高町であった。その墓は、四軒の元士族が共有している山の奥の墓地に建立されたもので、埴谷は「その祖父の墓を見ると、封建時代からさらに古代へ、原始へと遡ってゆく遠い血の流れといったものをやっと感じる」（『同』）と語ったのである。

埴谷が小高で生活したのは限られた期間であった。しかも、幼い頃の思い出の場でしかなかった。海が近くて、すぐに泳ぎに行けるような所ではあったが、日本的な情緒が感じられたとしても、あくまでも後から付け加えられた部分であった。

いくらそうであっても、埴谷は祖父の墓に立つことで、一族の者たちと共振する精神の高まりを、埴谷は感じたのではないだろうか。それが意味するものが何であるかを解き明かすことも、埴谷文学を理解する上での鍵になるように思えてならない。

埴谷文学の原点

そのお墓までは歩いて五分ほどであった。二〇一一年の福島第一の原発事故では、二十キロ圏内であったことで、伏見さんも土地を離れざるを得なかったので、手が付けられないままであった。猪の通った跡があることを、伏見さんは教えてくれた。その部分だけが草がなぎ倒されていた。そこから坂道を登ると突然、大きな石碑のようなものが目の前に現れた。お墓というよりも、顕彰碑のようにも見えたが、その場所にはそれしかなく、これが埴谷の祖父の墓であった。文字がかすれて読みにくかったが、明治に亡くなったことだけは分かった。

小高い丘の頂上というよりも、その手前の窪んだ地に、ひっそりと立っていた。微かに光は差し込んではくるが、遍く照らすほどではなかった。埴谷の祖父の墓を前にして、鍬を拒否し、一農民となり下がることができなかったその祖父がじっと堪えていた姿を想像した。日の当たる所に持ち出されるものではなく、静かな世界に、音もなく存在しなければならなかったのだ。

埴谷の言葉を借りるならば、それは《虚体》と化すことであった。ドストエフスキーの『カラマゾフの兄弟』の「大審問官」は衝撃的な文章である。最後まで黙して語らなかったキリストが、大審問官の唇にキスをする。それで大審問官の魂は電撃を受けたように震撼した。

言葉を持って立ち向かおうとする「大審問官」が敗れた地から、埴谷は出発したのである。荒涼たる場所に立ち尽くしたのである。それは祖父の生きざまとも重なることであった。

「このような荒涼たる場所に置かれたとき先人たちがいかなる方法をとったかを見たとき、私には一つの姿勢が目にとまった。そこにはさまざまな型があり、あるものはそこで地上に密着する蘚苔《せんたい》植物的に生きのびていたが、あるものははじめから枯死の擬態《ぎたい》をとって立っていた。擬態——そうである。特殊な風土のなかにとにかく一本の樹幹を延ばした形で立っているその姿勢に擬態という名称を附しておそらく誤りではないだろう。死んだ真似でもしていなければとうてい自身を持ち切れなかった彼らの精神に深い興味を覚えたばかりではなく、遺憾なことには、私はそうした姿勢に親近感のみ感じた」(『死霊』自序)

苔のような状態で生き延びるか、それとも「枯死の擬態」となるかによって、かろうじて生命を維持する。それに親近感を抱くというのは、何物も生み出さず、そこで全てをストップすることである。その意義について教えてくれるのは祖父の墓なのである。埴谷文学の原点は、真剣に生きることを拒否した祖父を思い起こすことなのである。

第五章　保科正之公の朱子学と山鹿素行の古学

敗戦から七十六年目を迎えようとしているが、ようやく、保科正之公、山崎闇斎、山鹿素行が見直されるときが到来したのではないだろうか。三人ともシナ一辺倒であった当時の時流に反して、日本の国柄がすばらしいことを説いたからである。私たちは戦後教育によって、日本の歴史は暗黒であったかのように教えられてきたが、誇るべき日本人の精神性の高さを再確認すべきであり、先鞭をつけるのが我が会津ではないかと思えてならない。

保科正之公は名君として知られているが、山鹿素行が朱子学を批判して、幕府の文教政策に異を唱えたので大いに怒り、寛文六（一六六六）年十月三日、素行を赤穂に流した張本人であった。当時の幕府はそれほど厳しく学問を規制していたわけではなかった。個人的に正之公の逆鱗に触れたというのが真相のようだ。幕府が寛政異学の禁によって、昌平黌で朱子学以外を教えることを禁止したのは、寛政二（一七九〇）年のことであり、百年以上も後のことである。素行が許されたのは延宝三（一六七五）年で、正之公が三年前の寛文十二（一六七二）年に死去したからである。

若松城下で生まれた素行

素行は元和八（一六二二）年に若松城下に生まれ、父と一緒に江戸に出たのは六歳のときであった。すでに天下は徳川の下に統一されていた。その出自については諸説あるが、先祖が筑前（福岡県）遠賀郡山鹿の人であるといわれ、浪人であった父山鹿貞以が蒲生氏郷の子の秀行の世話になったのは、家臣の町野左近助と近しくしていたからである。氏郷というのは優れた武将であったようで、本居宣長の先祖も家臣として会津入りしている。氏郷が南部に出陣した際に戦死しており、残された妻が郷里の松坂に帰り、五代後に宣長が生まれた。氏郷と一緒に色々な人が会津にやってきたのである。氏郷の配下として貞以の父の山鹿一助も息子と共に会津入りしている。六歳であった。しかし、秀行の宇都宮に貶封されたために、その許を離れるしかなかったのだ。

素行という名前は、『孫子』の「行軍篇第九」の「令　素より行われて、以て其の民を教うれば則ち民服す。令　素より行われずして、以て其の民を教うれば則ち民服せず」、『中庸』の「第十三章」の「君子其の位に素して行ひその外を願はず」から名付けたといわれている。父もまた儒学に長けた人であったのだろう。素行が生まれた頃には蒲生氏三代の忠郷の時代になっていた。

正之公の逆鱗に触れた素行

その素行が会津松平家の祖である正之公によって、厳しい処分を受けたのである。なぜそうなったということについては、当時の政治情勢を無視することはできない。慶安四（一六五一）年に軍学者の由井正雪の乱が起きている。素行は、承応元（一六五二）年十二月から万治三（一六六〇）年九月までは赤穂の浅野長直に仕えたが、それ以外は大名や門弟に学問を教えることが中心で、野にあって多くの塾生が集まることに対して、幕府が警戒心を抱くというのは当然の成り行きであった。

もう一つは学問上の違いで、正之公は朱子学で素行は古学であった。注目すべきは正之公の朱子学というのは、まさしく山崎闇斎の教えであったわけで、素行の教えと同じように明治維新の原動力となり、両方とも日本の国柄というものを重視した。

闇斎は伊勢大神宮の神前にひれ伏して天壌無窮の神勅を仰いだが、素行もまた万世一系の皇室を讃えた。二人は天皇を第一に考えるという点では同じであったが、そこに至る論理が異なっていた。確認しておくべきは、二人とも日本にこだわったという点だ。正之公が激怒したのはあくまでも学問上の純粋さのゆえであって、その点を見落としてはならない。

素行と言えば、すぐに思い浮かぶのが赤穂浪士である。素行が赤穂に流された年に、浅野内匠頭長矩《ながのり》が藩主に就いている。父長友が急逝したからで、わずか九歳であった。松の廊下で吉良《きら》上野介《こうずけのすけ》に斬りかかり、切腹を命じられたのが長矩である。吉良邸討ち入りの指揮を執った大石内蔵助良雄は、素行在住の十年間は七歳から十七歳の時期にあたる。直接接触したことはないといわれているが、武士として感化されたことは確かである。

素行の見事な振舞い

素行が偉いのは、幕府から呼び出されたときの立ち振る舞いが立派であったからだ。平泉澄の『物語日本史（下）』によると、大目付の北条安房守（かつての兵学の師北条氏長）から呼び出し状が来たことで、素行は覚悟を決めた。

これはただならぬことだと察知した素行は、夕飯を食べ、行水をし、急いで遺言をしたため、母には知らせることもなく、寺によって父の墓に参り、そして、安房守の前に出た。

するとその場で北条安房守から「いらざる書物を作った故、浅野内匠頭《たくみのかみ》のところへお預け申し付ける。これよりすぐに赤穂に参るがよい、自宅への連絡は、何でも世話する」と申し渡された。それに対して素行は「かたじけなく存じ奉り候、然しながら常々家を出で候より、跡に心残りの候事はこれなき様に勤めておりますので、何も連絡することはございません」と返答したのである。

松田修も『複眼の視座　日本の近代史の虚と実』収録の「幻視者の終焉」において、そこでの立ち振る舞いが立派であったことについて言及している。

「私こと一刀を下人に渡し座敷へ上り申し候て、笑ひながら申し候は、如何様の事御座候や、御門前事のほか人多く候由、申し候て奥へ通り候」、「御歩行目付《おかちめつけ》衆さわがしく申され候故、我ら笑ひ申し候て、一礼罷《まか》り立ち候」（『配所残筆』）

松田は「生死竿頭《かんとう》（竿の頭）にたった士人は、その平生心を笑うこと、笑いを作ることで示さなければならない」ということを素行は身を以て示したというのだ。

命を奪われるかも知れないのに、平然と笑うことができたのである。いかなる言葉よりも、その身に処し方が立派であったために、素行は高く評価されることになった。素行は武士道の実践者でもあったわけで、抜かりなく準備をしていたのである。

その遺書には「夫我を罪する者は周公孔子之道を罪するなり」と書かれていた。死罪を命じられたならば、それを安房守に差し出すつもりであったのだ。弁解をするのではなく、「今の世に生まれて時世の誤りを末世に残すこと」を己の罪としたのである。

朱子学を批判した素行

正之公が問題視した「いらざる書物」というのは『聖教要録』（寛文五年発刊）のことで「伏

義・神農・黄帝・尭・舜・禹・湯・文・武・周公の十聖人は、その徳その知天下に施して、万世その沢《うるおい》を被る。周の衰えるに及んで、天仲尼《ちゅうじ》を生ず。生民ありてより以来、未だ孔子より盛んなるあらず」ということで、儒学の本来の姿は孔子の時代までだと述べ、だからこそ、「聖人の言を本として、直に解すべし。後儒の意見は取り材る所なし」（『聖教要録（上）』）と断言したのだ。

『聖教要録（中）』の「道」において、素行は「道は行なふ所あるなり。日用（実際の生活）以て由り行なふべからざれば、則ち道にあらず。聖人の道は人道なり。古今に通じ上下に亙り、以て由り行なふべし。もし作為造設に渉りて、我行ふべく彼れ行なふべからず、古《いにしえ》行なふべく今行なふべからざるときは、則ち人の道にはあらず、性に率《したが》ふの道にあらず」と書いている。いくら高尚なことを並べたてても、実際の生活に役に立たないのでは困る。その点を素行は批判したのである。

素行の書いたものを読んでいて「日用」という言葉が気になってしかたがなかった。立花均は『山鹿素行の思想』において、「日用」という言葉を取り上げて、素行が現実主義者であったことを強調していた。

素行からすれば、欲望についての考え方も朱子学は間違っている。「『謫居童問』（寛文八年＝一六六八年）では「人欲を去るものは人にあらず、瓦石（値打ちがない）に同じ」とまで述べており、静的な朱子学に対して動の思想を打ち出した。「子、已むことを得ざるを以て誠と解す。凡そ人の情、飲食の口体に於ける、男女の情欲に於ける、皆是れ已むことを得ざるを以てす」（「山鹿語類巻三十七」）といったように、欲望を認めた上で、「所謂誠は、天下古今の人情已むをことを得ざるの謂なり」（「同」）という普遍性の観点から判断すべきというのだ。素行は人間を突き動かすものは何かというところまで掘り下げ、私たちでは手に負えない力を「已むことを得ざる」という言葉で表現した。それは個人のレベルや理性を超えたもので、その力が命をつなげ、人々を行動に駆り立てるというのである。

『小学』を重視した正之公

闇斎を師と仰いだ正之公の思想は、朱子学ならではの世界観を重視した。会津短大の教授を長年にわたって務めた龍川清は「保科正之の学問」という文章を書いている。正之公が会津に移封されたのは寛永二十（一六四三）年のことで、三十三歳のときであった。高遠時代には保科家の菩提寺が臨済宗の妙心寺派であったせいで、一応は鉄舟和尚から儒学を学んではいたが、朱子学に開眼したのは承応元（一六五二）年のことで、すでに四十二歳になっていた。『小学』を読んで心動かされたのだった。龍川はそうした正之公の心中を推察した文章を書いているが、的を射ていると思う。

「人は幼時から、朝夕の挨拶、掃き掃除、衣服飲食などの日常の起居動作、年長者に対する礼儀などをよく心得て実践し、それが習慣となるように常に努めてやまないことが修養の第一歩であると考えたのであろう。つまり、深遠な空想を説き、玄妙な（奥深い）虚無を論じて、君を無《なみ》にし親を無にする老仏の学問よりは、人の道を実行する儒教に真の学問が存在する、と結論づけたのである」

朱子の手になる『小学』によって、正之公は朱子学を本格的に学ぶことになり、師として山崎闇斎を選んだ。三代将軍であった兄の家光から頼まれて、四代将軍家綱の補佐役となった正之公は、徳川幕府を安定させるために、武力によらない精神的なバックボーンを必要としていた。親に対する孝行という身近な例から国の根本までを問題にする朱子学の一貫性に心動かされたのだ。『小学』は朱子の門人劉子澄らに編纂させ、最後に朱子が校閲刪訂したといわれている。朱子は南宋の儒学者で、姓は朱、名は熹、字は元晦または仲晦、晦庵と号した。

「凡そ人の子たるの礼は、冬は温にして夏は清しくし、暮に定めて晨（朝）に省（機嫌をうかがう）す。出づれば必ず告げ、反れば必ず面す。遊ぶ所には必ず常あり（よからぬとことにはいかない）、習う所には必ず業あり。恒の言に老いを称せず」

「欒共子《らんきょうし》曰く、民は三に生ず（三者の力で生きることができる）。これに事ふること一の如し（三者に仕えることは同一でなくてはならぬ）。父之を生み、師之を教え、君之を食ふ。父にあらざれば生まれず、食にあらざれば長ぜず、教にあらざれば知らず、生の族なり。故に一に之に事へ、唯其の在る所にして即ち死を致す。生に報いるに死を以てし、賜に報いるに力を以てするは（一身をささげてつくすことは）、人の道なり」

『小学』のなかの「出づれば必ず告げ、反れば必ず面す」という言葉を読むと、今は亡き高瀬喜左衛門さんのことを思い出してならない。会津若松市長を務めた高瀬は、家を出掛けるときや、帰ってきたときには、年老いた親に必ず報告された。母親が亡くなるまで高瀬はそうだったという。その言葉を高瀬は身を以て実践したのだ。教養があったからこそできたのだと思う。

龍川は、朱子の『小学』が会津教学のバックボーンとなり、それが後の「日新館童子訓」にまで受け継がれたとみる。朱子は『礼記』中の『大学』（孔子の門人の曾子の作とも）『中庸』（曾子の門人の子思の作とも）を単独の書物として、『論語』『孟子』と合わせて四書としたから、正之公が『大学』も重視することになったのはいうまでもない。

「古の明徳を天下に明らかにせんと欲する者は先つ其の國を治む。その國を治めんと欲する者は、先づ其の家を齊《ととの》ふ。その家を齊へんと欲する者は、先づその身を脩《おさ》む。その身を脩めんとする欲する者は、先づ其の心を正しうす。其の心を正しうせんと欲する者は、先づ其の意を誠にす。其の意を誠にせんと欲する者は、先づ其の知を致す。知を致すは物に格るに在り」、「物格《いた》つて后《のち》知至る。知至って后意誠なり。意誠にして后心正し。心正しうして后身脩まる。身脩まつて后家齊ふ。家齊ひて后國治まる。國治まつて后天下平かなり」（『四書講義大学』宇野哲人）

「存心」（主観的な内省）と「格物致知」（世界の理法と一致）すれば聖人となることができるというのが、朱子学の根本の教えなのである。

ただ、龍川がすごいのは、「『小学』は、深い学理を述べたというよりは、むしろ幼童のために、忠信孝悌という人としての守るべき道を、古今の書から抜粋・蒐集した書である。ただ惜しむらくは、難解のところも、かなり多く、特に開巻最初の『内編』はその傾向が強い」と指摘していることだ。

素行の『武教小学』においては、あくまでも「日用」のレベルにとどまっているのに対して、『小学』の背後には朱子の哲学的な世界があるからだ。通り一遍の解釈では表面を論《あげつら》うだけで終わってしまう。私は二十代の後半に、会津若松市役所前の毎夕新聞でコラムを執筆していたことがある。「いつか龍川先生のお話をお聞きしたい」と書いたことがあった。私のコラムを龍川は読んでいたようだが、残念ながら会って話をする機会はなかった。龍川は朱子学に関して、あえて深入りすることを避けたのではないか。朱子学に関しては様々な見方があるからである。

素行の思想の研究者の第一人者は田原嗣郎。その田原が素行の朱子学批判は誤解に基づくと論じている。『日本の名著山鹿素行』に収録された「山鹿素行と士道」では、そのことが詳しく記述されている。そこに立ち入ると混乱するので、後の機会にするが、素行ばかりではなく、山崎闇斎も荻生徂徠も同じだったというのだから驚きである。

松陰の先師は素行

批判する対象の全体像を把握していなくても、素行が矢を放ったという事実は残るし、そこに素行の思想があるわけであくまでも私は「日用」ということにこだわりたい。もともと素行は兵学者であったわけで、朱子学を云々するよりは、武士にとって何が必要かを追い求めた。河上徹太郎が『吉田松陰』で問題視したのは、まさしくそのことである。吉田家は代々山鹿流兵法の師範で、松陰は十一歳のときに藩主の前で素行の『武教全書』を講義した。そんなこともあって、松陰は佐久間象山を「師」と呼ぶのに対して、二百年前の素行を「先師」と呼んだのである。

河上は「松陰が素行に惹かれるのは、その『思想』や『哲学』よりも、正しくそういつた武士道實践主義である。しかもそれは素行の場合論理的、松陰は実践的であつて、その間人間的にはかなり隔たりがあるやうに見えるが、それは松陰にとつては問題ではないのである」と論じたのである。「素行の場合理論的、松陰は實践的」という差異はあっても、松陰を突き動かす力が働いたかどうかなのだ。思想の優劣などよりも、思想が力となって世の中を動かすかどうかが問題なのである。

松陰とて『聖教要録』の意義を否定するわけではないが、赤穂に流謫されて延宝三（一六七五）年に書いた『配所残筆』やその前の寛文九（一六六九）年に書いた『中朝事実』の方が重要なのである。それと同時に、朱子学者にとどまっていた明暦二（一六五六）年の『武教小学』、『武教全書』にも心動かされた。松陰の『武教全書講録』の冒頭の部分の文章がそれを物語っている。

「コノ序［武教小学序］ノ大主意ヲヨクヨク呑ミ込給へ。コレニテ士道ヲ國体モソノ便覧ヲ得べシ。先ヅ士道トイフハ、無礼無法粗暴狂悖（非常識な言動）ノ偏武ニモアラズ、記誦詩章（暗記すること）、浮華文柔（上辺ばかり）ノ偏文ニテモ済マズ、眞武眞文ヲ学ビ、身ヲ修メ心ヲ正シウシテ、國ヲ治メ、天下ヲ平カニスルコト、コレ士道ナリ」

松陰はまた、その時点で素行の国体論が芽生えていたことに注目した。素行に心酔することになったのは、そのパトスがあったからなのである。

「國体とイフハ、神州ハ神州ノ體アリ、異國ハ異國ノ體アリ、異國ノ書ヲ読メバトカク異國ノ事ノミヲヨシト思ヒ、ワガ國ヲバ却ツテ賤シミテ、異國ヲ羨ム様ニナリユクコト学者ノ通患（病気）ニテ、コレ神州ノ體ハ異國ノ體ト異ル譯ヲ知ラヌ故ナリ」

徳川の時代になり、戦闘者としての武士は、百姓や町人に寄生して生きるようになった。本来の武士とはどうあるべきかを素行は問うたのである。高い理想よりも、現実の身の処し方に重点を置いたのであり、高邁なイデオロギーよりも、あくまでも生きる型に固執したのだ。元禄十五（一七〇二）年十二月十四日の赤穂浪士四十七士の討ち入りと、素行との関係がよく話題になるが、思想云々よりも、アッパレな身の処し方において、素行と赤穂浪士は相通じるものがある。

松陰が「かくすればかくなるものと知りながら已むに已まれぬ大和魂」といった革命家の情念が燃え上がったのも、素行の身の処し方に共感したからなのである。

乃木希典が明治四十年に素行に正四位が贈られたときに、牛込宗参寺の墓前で「希典幼時師父（素行）ノ教ヘニ従ヒ、先生ノ遺著ヲ読ミ、窃《ひそか》ニ高風ヲ欽《きん》ジ、仰テ以テ武士ノ典型トナサンコトヲ期セシニ」と「山鹿素行を祭る文」を読み上げた。乃木もまた、武士道の理論を世に知らしめた人物として、素行を敬愛していたのだ。

静坐で徳を養う朱子学

これに対して、正之公や闇斎は、あくまでも理想を遵守しようとした。『山崎家譜』によれば、闇斎が正之公のもとへ賓師として招かれたのは寛文五（一六六五）年のことであった。それ以降、正之公がなくなるまで、九年間にわたって江戸に下っている。会津に来たのは寛文十二（一六七二）年と同十三（一六七三）年の二回。一回目は会津領内の巡視であり、二回目は正之公の葬儀のためであった。寛文五（一六六五）年から延宝二（一六七四）年までの間に、闇斎は『玉山講義附録』、『会津風土記』、『二程治教録』、『伊洛三子伝心録』、『会津神社志』、『土津霊神碑』の編集に関与した。

正之公の功績については、闇斎が著した「土津霊神行状」を読まなくてはならないが、田尻祐一郎は『山崎闇斎の世界』のなかで、「土津霊神行状」の現代語訳を試みている。それを読めば正之公の朱子学がどんなものであったかを理解することができる。

「伊川（程頤）の『好学論』、明道（程顥）の『定性書』を好み、静座をして『敬』に努めることなしには、聖賢の道には入ることは出来ないと思い、道において自分から見るところがなければ、いくら学んでも得るものはないと思い、『伊洛三子伝心録』を編纂して公刊した。また『玉山講義』の意義を深く身に付け、嘉（闇斎）に命じて朱先生の『文集』『語類』の中から『玉山講義』の理解に有益な発言を選ばせて、『玉山講義』と合わせて附録三巻として公刊した」

一番先に揚げている『伊洛三子伝心録』の「伊洛三子」とは、河南省洛陽の南を流れる伊水・洛水のもとで講学した程明道、程伊川の兄弟の学統を継いだ楊亀山、その門人の羅豫章、またその門人の李延平のことである。朱子は李延平のもとで学んでおり、二程子から朱子に橋渡しをした。闇斎によれば『伊洛三子伝心録』の三人を貫いているのは「静坐によって徳を養う」ということなのである。李延平は読書の合間に静坐をし、喜怒哀楽の感情が現れる前の気象、「中」を体認することの意義を説いたのである。しかし、仏教のように現実から逃避することではなかった。

「李先生教人、大抵令静体認大本未発時気象分明、即事応物、自然中節、此乃亀山門下相伝指訣」

同じく田尻祐一郎の『山崎闇斎の世界』の現代語訳が分かりやすい。「李先生が人に教えるのは、静の中に、感情として表れる以前の気象である『中』を体認してはっきりとさせることであり、そうあってこそ変転して止まないあれこれの事物に応じて、一つひとつぴったりした『節』に当たることである。これが、先生が亀山門下として受け継がれた精髄である」

正之公は幕閣の中心にいたわけで、隠遁生活をしていたのではなかった。次々と起きる問題について、すぐに判断を求められる立場にいた。「処事応物、自然中節」を心がけるにあたっては、朱子学をバックボーンとした。素行はそれを真向から批判したのであり、正之公が怒らない方がどうかしている。

これに対して素行は『聖教要録（中）』で「未発の中を索《もと》めば、則ち中庸にあらず」と断じたのだ。素行が重視したのは、どこまでも事物に即したバランスの取れた日常不断の立振舞のことであったのである。

日本を第一とした闇斎と素行

素行と闇斎の間には、そうした思想的な対立はあったが、目指すべき方向は変わりがなかった。素行は武士として生きていくために、日本こそが中国であるとの結論に到達した。

「本朝は天照大御神之御苗裔《びょうえい》（子孫）として、神代より今日迄、其正統一代も違《たがえ》給ず」「知仁勇之三は聖人之三徳也。此三徳一つもかけては聖人之道にあらず。今此徳を以て本朝と異朝とを、一々其しるしを立て校量せしむるに、本朝はるかにまされり。誠にまさしく中国といふべき所分明なり」（『配所残筆』）

闇斎もまた、自らが生まれ育った日本という問題に直面した。素行と同様に日本人である闇斎は避けて通ることができなかった。どのように切り抜けたかというと、神道と朱子学の共通性に注目したのだ。そこで出てくるのが『易』なのである。とくに「易」の基本観念は陰陽の二爻《こう》（爻とは交わる、また他に変ずるの意味）。『日本書紀』でイザナギノミコトとイザナミノミコトという男女一対の神が現れ、国産みをするというのは、陰陽の二爻にかなっており、「易」というのが日本にもあてはまるというのだ。

闇斎は一なる神であるクニノトコタチ（国常立尊）が陰陽にも相当する二つの水神（クニノサツキ・国狭槌尊）と火神（トヨクムヌ・豊斟渟尊）へと姿を変え、さらに木神（ウヒヂニ・埿土煮尊、スヒヂニ・沙土煮尊）、金神（オオトノヂ・大戸之道尊、オホトノベ・大苫辺尊）、土神（オモダル・面足尊、カシコネ・惶根尊）を加えた五行を経て万物へと変化するとの考え方を示したのである。

正之公と闇斎の神道

闇斎の神道の思想を正面から論じたのが澤井啓一の『山崎闇斎　天人唯一の妙、神明不思議の道』である。

「闇斎は、理＝太極に相当するアメノミナカヌシから万神《よろず》が生成するとし、その過程で陰陽の気を受けた具体的な神としてイザナキ・イザナミを位置付けていた。したがってイザナキ・イザナミの話は『理気妙合』という神秘なる現象の始原であるが、それはこの世界が始まった時だけでなく、現在もまだ繰り返し起きている出来事であり、また世界だけでなく人間の心においても間断なく起きている出来事であった。心身ともに『振る』という行為は、人間の持つ生命力を活性化させるための呪法であるのだが、闇斎においては、始原を再確認し、そこに戻る、すなわち朱子学で言うところの『復初』という意味を担わされていた」

朱子学の基礎理論は理気節といわれる。「理」は道徳的な本質であり、形を与えるものが「気」である。人間として「本然・天然の性」である「理」に復《か》えること、つまり、復性が朱子学の実践目標である。それを闇斎は念頭に置いていたのだ。

そのような結論にいたったのは、闇斎が神道関係の本を読んでいたからだ。闇斎は室町時代の神道家であった忌部《いんべ》正通《まさみち》の『神代巻口訣《くけつ》』に興味を持ち、寛文四（一六六四）年に校訂本を出版している。忌部神道に関わりの深い旗本の石出《いしで》帯刀《たてわき》（三代目吉深）から入手したとみられる。

澤井は忌部神道の特徴を「儒家神道の先駆と位置づけられるものの、儒仏二道の立場を認めている点で伊勢神道とは大きく異なるというのが一般的な評価であるが、一方では吉田神道に対抗する意識が強かったことに大きな特徴を見出す研究者もいる」と評している。

なぜ『神代巻口訣』に注目したかというと、闇斎が問題にした「心神」とか「心祓」という言葉の典拠となっているからだ。国土を平定したオオアナムチ（スサノオの息子オオクニヌシの別名）に海上から光ながら渡ってきたものが「私はおまえの幸霊《さちみたま》・奇霊《くしみたま》」という出雲神話の異説を重視し、「幸霊・奇霊」はオオアナムチの「心神」であるばかりか、「天神の霊」であると述べていたからである。

天と一体である一なる神によって、自問自答が行われ、オオアナムチは善人に戻ることができたと解釈する。スナノヲが髪や爪を抜かれて高天原から追放されたのも、罪をあがなうためで、それで善人になったというのだ。

闇斎が初めて伊勢を訪れたのは明暦三（一六五七）年のことで、それから十二年後の寛文九（一六六九）年九月に伊勢神宮で大宮大中臣精長《おおなかとよきみなが》から『中臣祓』を伝授されている。伊勢神道は鎌倉時代に勃興した反本地垂迹説《はんほんじすいじゃくせつ》（神が仏の姿をして現れること）を唱え、外宮の神官であった度会家行によって唱えられた。北畠親房の神国思想に大きな影響を与えたともいう。

その一方で闇斎は、同年閏十月に服部安休を介して、吉川惟足からも『中臣祓』を入手している。ただ、説明を受けたのは寛文十一（一六七一）年の冬であったという。この辺のことに関しては、澤井啓一の『山崎闇斎』が詳しい。これに関する闇斎の著作は、写本でしか伝えられていない『中臣祓風水草』と『垂加中訓』（未定稿）の二つだといわれている。

『中臣祓』というのは「大祓詞《おおはらえことば》」とも呼ばれ、毎年六月と十二月の末日に行われる祝詞《のりと》である。ハラヘとはどんなものであるかに着目し、その原型に迫ろうとしたのだ。

澤井は「『大祓』は、天津罪《あまつつみ》（スサノオが高天原で犯した罪、農耕を妨害する罪）、国津罪《くにつ》（不適切な性的関係で引き起こされる天変地異や病気）というケガレを国土から吹き払うための儀式であったから、当然社会全体に関わる意味での『中』が問題にされる。『ナカトミ（中臣）』の『ナカ』とか『アメノミナカヌシ（天御中主尊）』の『ナカ』とかいった日本語の『ナカ』に関わることなどから連想される問題である。ただし闇斎はそれだけでなく、一人の人間のケガレ、とりわけ心のケガレを取り除くことも同時に問題としていた。こちらはケガレということをとりあえず措いて、それが人間の心に関することだと考えれば、『中庸』とか『中和』といった朱子学の基本的概念とも関わる問題である」と解説している。

闇斎にとって、日本の古伝承に朱子の思想を適応させようとするのは、どこでも通用する普遍的な価値を確認したかったからだろう。このことと関連して、正之公の家臣であった有賀満辰を会津から呼び寄せて、その力を借りて寛文七（一六六七）年に世に出したのが『洪範（大法則）全書』である。『洪範全書序』で闇斎は「日出之処（日本）と日没之処は異なる」としながらも、その根本においては一致するとみたのである。

『洪範』については、澤井は「闇斎にとって『洪範』は、『易』と並んで、世界の原初、その成り立ちを物語るテキストであった。もちろん、この考えは朱熹に基づいて、『河図《かと》』から伏義が『易』の八卦を作り、『洛書』から禹が『洪範』を作ったという理解が、朱子学における一般的な見解である」と注釈している。当初は神秘主義的であったものが、朱子の手によって根源的な意味を見出すような体系化が行われたのだ。

その一方で闇斎は『日本書紀』や『中臣祓』などの神勅ついては、かつて文字による記述が存在したと信じていたとみられているが、現実にはそれに接することができなかったので、伊勢・吉田、さらには忌部といった神道各派の口伝を収集しようとしたのである。

闇斎の神道に関する最初の文章は、明暦元（一六五五）年の『伊勢大神宮儀式序』だといわれる。この書は伊勢神宮に関するもっとも古い書物で、延暦二十三（八〇四）年に内宮と外宮の神祇官に提出した文書をまとめたものである。その序文の末尾で「ああ、神の垂《しで》は祈禱をもって先となし、冥《くらき》の加《ま》すは正直《ますぐ》をもって本となす」という文章があり、「神の恵みをうける（垂る）ためには人として祈禱が第一で、神慮が加わる（冥加）ためには人として正直をもってするのが根本である」との意味があるという。

幻の文書といわれた「神道五部書」の一つである『倭姫命世記《やまとひめのみことせいき》』から引用している。『倭姫命世記』は、神護景雲二（七六八）年に五月麻呂の撰といわれている。建治から弘安の時代に伊勢外宮の渡会行忠がまとめたと伝えられている。伊勢神道の中興の祖である渡会延佳が京都で古書を発見するのが寛文九（一六六九）年で、闇斎も関与していたとみられる。内容は垂仁天皇の皇女とされる倭姫命がアマテラスオオミカミを奉じて各地を巡行し、伊勢の地に鎮座するまでのことが叙述されている。

「垂加（しでます／すいか）」という名号は、吉田神道の神事にもとづいて吉川惟足が寛文十二

（一六七二）年に闇斎に与えたものだが、霊社号の伝授は吉田家の神事であったために、そういう結果になったのである。澤井は「闇斎自身の意志、すなわち伊勢系と吉田系を統合するという強い決意を窺うことができるだろう。『垂加』という言葉の内容も重要であるが、『垂加』という霊社号を創ることによって、異なる系譜として伝承されてきた神道が『始原にたち返って一つになった』ことを世間に広く示すことにも大きな意味があったのである」と書いている。

正之公も闇斎と同じ年に吉川惟足から土津霊社の号をもらっている。これに関して闇斎は土津霊神碑文において「夫れ神国伝来唯一宗源の道は土金に在って、土はすなわち敬である。まさしく土と敬とは和訓相通して天地の位し、陰陽の行われ、人道の立つゆえんで、その妙旨はこの訓に備わっている。正之公はこゝに達したので霊号は良にゆえあることである」と記述したのである。

また、闇斎は、斎部広成（忌部）が延暦二十五（八〇六）年ころに編纂した『古語拾遺』で取り上げているサルタヒコを例に挙げながら、「土金之傳」を説明するのに利用している。「サルタヒコが天孫の道案内を終えた後、五十鈴川に戻ったという記述から、サルタヒコが『土』の徳を持ち、鈴が『金』で、川が水であるところから、『土』から『金』を生じ、『金』から『水』が生ずる『土金伝』という『幽契』が確認できると説く」（浅見絅斉『神代巻講義』）

神道家としての闇斎については、江戸時代中期の幕臣であった跡部顯が『垂加翁神説序』でその骨格を簡潔に述べている。

「夫大日本豊葦原中津國ハ、四方國中ニスグレテ、其道モイト尊シ。開闢ノ始ヨリ、イザナキ、イザナミノ尊玉瓊矛《あめのぬぼこ》ヲ以テ國中ノ柱ヲ立、神道ヲ以テ其教ヲナシ玉フ。是則天人唯一ノ道ナリ。天照太神高皇産尊ト相議《はかり》タマヒ、皇孫瓊々杵尊《にぎにぎのみこと》へ、八坂瓊曲玉《やさかにのまがたま》、八咫鏡《やたのかがみ》、草薙剣《くさなぎのつるぎ》三種神器ヲ傳授マシマシテ、身ヲ修メ、天下ヲ治メ玉フ。是ヨリ天子御代々相傳給ヒテ、皇嗣《あまつひつぎ》今ニタエズ。天兒屋根《あめのこやね》命天太玉命ハ、瓊々杵尊左右ノ大臣トナリテ、神道ヲ相受、上ヲ敬下ヲ撫育テ、教ヲ後世ニ垂レ玉フ」

「人皇十六代応神天皇ノ時、百済國ヨリ阿直岐《あとぎ》王仁《おうにん》ト云者来朝シ、異邦聖人ノ道を述、王仁論語千字文ヲ献ズ。帝コレヲ傳受テ崇ミタマヒ、王仁ヲシテ皇子ノ師トシ給フ。王仁ヨク和語ニ通ジ、漢字ヲ合セテコレヲ教ユ。コレヨリシテ異邦ノ書多ク渡テ、天下周ク行ル丶成。恐レアリトイヘドモ、按ズルニ応神天皇聡明叡智ニシテ、異邦聖人ノ道、我邦ノ神道ニ妙契スルコトヲ感得シタマヒ、其書モ詳ナルヲ賞シ玉フ。神代ヨリ文字アリトイエドモ、異邦ノ書ニ通ジ、書簡贈答ニ益アルコトヲ悟て、西土ノ文字ヲ学バシメ、神道ノ羽翼トナシタマヒ、我邦ノ光マシ玉フナルベシ」

跡部によれば、当初はうまくいったのだが、三十代欽明天皇の時に仏教が伝来して、神儒仏が三教一致となり、仏教が力を持つようになって、神社が皆本地垂跡を説き、神書にも仏語が使われるようになり、両部習合の神道となってしまった。また、儒者も異国を尊び、神道を嘲る者が多くなった。それにもかかわらず、「伊勢内外両宮ノ神光、天下ヲ照シタマヒ、忌詞今ニ存シ、三種ノ神器備リ、歴々トシテ天下ヲ守リ玉フ。ヤマトコトバ変ラズシテ敷嶋ノ道絶サレバ尊ムベシ」ということで、和漢の書に通じ、儒書を理解し、聖賢の道学を「発明した」闇斎が、最終的には神道の徒であったことを力説したのである。

万世一系の皇室と日本の朱子学

朱子学は日本に土着化したという観点から論じる人がいるが、私はそうではないと思う。まず万世一系の皇室というものがあって、闇斎に言わせれば、神代の文字が失われてしまったことで、異国の言葉を使わざるを得なかったのであり、あくまでも自らが生まれ育った日本というものを第一に考えたのである。

江戸時代の前期から中期にかけての儒学者をとりあげた野中兼山の『先哲叢談』では、闇斎についての有名なエピソードが紹介されている。

闇斎が門人に向かって「方今（まさに今）彼の邦、孔子を以て大将と為し、孟子を副将と為し、騎数万を率ゐ、来りて我が邦を攻めなば、則ち吾が党、孔孟の道を学ぶ者、これを如何せん」と問うたところ、誰も答えられず、先生の意見はと言われて、闇斎が「不幸にして若し此の厄に逢はば、則ち吾が党、身に堅を被り、手に鋭を執り、之と一戦し、孔孟を擒にして国恩に報ぜん。此れ即ち孔孟の道なり」と述べたのだった。

興味深いのは、闇斎と『拘幽操《こうゆうそう》』との関係である。寛文十（一六七〇）年の時点では完成していたとみられるが、「忠」とはどういったものであるかを語っている。『拘幽操』は韓愈が琴曲のためにつくった詩で、紂によって幽閉された文王の思いを詠んだのである。紂を責めるのではなく、自らの至らなさを責めたのだ。わずか五〇字ちょっとの作品である。闇斎は朱子学の正統な在り方だとして、二程子と朱熹が『拘幽操』に言及していた文章を集め、自らの跋文を付けて、同じ『拘幽操』の名で出版したのである。いうまでもなく闇斎の弟子である浅見絅斎などの幕末期の攘夷思想に結び付くわけだが、会津藩が単純に徳川幕府を絶対視していたわけではないのである。闇斎は会津において、神の国であった日本を探し求めたのであり、それが結実したのが『会津神社志』、『会津風土記』である。正之公が万世一系の皇室を理解していなかったわけではなく、会津藩が京都守護職に就いたのは、瓦解寸前の幕府からいわれたからではなく、王城の護衛者たらんとする勤皇の藩であったからなのである。

先の戦争で日本が敗れたことで、朱子学は疎んじられ、神道についてはなおさらであった。己を律することのバックボーンが失われてしまった。さりげない振舞いのなかに、宇宙の真理を指し示すような価値観が失われてしまったのである。

白虎隊の自刃にしても、あたかもパニックになって、死を選んだかのように話をする人たちがいる。朱子学では、どのような場面に臨んでも、沈着冷静に対応することを教えてくれており、作法にのっとっての死であった。それこそ玩物ではなく、今もなお、人間とはどうあるべきかを指し示しているわけだから、正之公や素行が目指したものが何であったのかを考えるためにも、私たちは先人の思想を学ぶ必要があるのではないだろうか。

第六章　「戦友別盃の歌」の大木惇夫が浪江に疎開

今、大木惇夫という名前を知っている日本人が一体どれだけいるだろうか。大東亜戦争に協力した詩人として烙印を押されてしまったのは、あまりにもその詩が日本の若者の心を揺さぶらずにはおかなかったからだ。

大木は、昭和十七年にジャワ作戦に参加して、バンダム湾敵前上陸の輸送艦が米英蘭豪の攻撃で乗船佐倉丸は撃沈され、九死に一生を得た体験をした。そのときに現地で出版した詩集『海原にありて歌へる』が戦場に赴く若者によって朗読され、アジア解放の夢を実現しようとしたのである。

日本浪漫派の保田與重郎は、『海原にありて歌へる』が収録されている『大木惇夫詩全集2』の解題で、悠久の太古から受け継がれてきた日本人の詩心に魅了されたのである。

「けふのわが国の若者らが、この詩集をよんで、何を感じるだろうか。悠久の太古からこの国の人々を感動させ、悲しませ、又慰め、われを忘れさせた詩といふものを、興奮して思ひ出す者は必ずゐるにちがひない。わが血潮の騒ぐのをかんじたさういふ時、稚いうぶな若者たちも、自分の心の中に詩があり、歴史があり、詩人がゐるということを胸をはつて自覚すると思ふ。それについては、理屈などいらないのである」
大東亜戦争は、アジア解放のための戦いであったことを教えてくれるのが、大木の代表作となっている「戦友別盃の歌――南支那海の船上にて」である。

言うふなかれ、
君よわかれを
世の常を、また生き死にを、
海ばらのはるけき果てに
今や、はた何をか言はん、
熱き血を捧ぐる者の
おおいなる胸を叩けよ、
満月を盃《はい》にくだきて
暫し、ただ酔ひて勢《きほ》へよ、
わが征くはバタビヤの街、
君はよくバンドンを突け、
この夕べ相離《さか》るとも

かがやかし南十字を
いつの夜か、また共に見ん、
言ふなかれ、
君よ、わかれを、
見よ、空と水うつところ
黙々と雲は行き雲はゆけるを。

インドネシアを植民地にしていたオランダを一掃するために、日本人は生死を賭けて戦ったのである。大東亜戦争が何であったかを語るにあたって、大木のこの詩の一編を私たち日本人は口ずさむべきだろう。日本は敗れたとはいえ、欧米列強によるアジア・アフリカの植民地支配が打倒されるきっかけになったことは事実なのである。若者の戦場に送り出す詩をつくることは、神々から選ばれた詩人の宿命であった。それは勇ましい戦争詩の範疇に属するものではなく、散華する者への慟哭にほかならなかった。

浪江駅前と大堀村

戦争末期には大木は四十六歳になっていたが、あまりにも好評を博したために、次々と詩作をすることを強いられ、過労がたたって衰弱した。それ以上に満身の力を絞っての労作は、自らを傷つけることになった。福島県の浪江町、大堀村で静養を強いられたのは、そうした事情があったからなのである。

そのときに大木が書き留めた詩が『詩集山の消息――一九四五年』に収録されている。戦争中に書いた最後の作品であるが、それだけにわざわざ「山の消息　田園四季の記――あとがきとして　冬」という一文を草している。

「みちのくの冬は雪に暮れ雪に明けた。昭和十九年十二月なかば、いそぎの著作を完成させるために東京を発った私は、浪江の駅にほど近い宿（白木屋旅館）に旅装をといたのであるが、この町をはじめ、あたりの寒村は満月蕭条として、まったく古詠の『ひとめも草も枯れ』るおもひがさむざむと胸の中を通り過ぎた」と書いたのである。

宿の二階の奥まった部屋で、安閑として月日を過ごしたわけではなかった。詩作を続けながらも、「花も香もない、ましてこれぞといふなぐさめもない日夜を、壁に対して、わたしは沈黙の行をつづけた」のだった。

前線に出たことのある大木にとって、戦争の行方はほぼ見当がついていたのではないだろうか。日本人全員が玉砕するか、さもなければ、肇国《ちょうこく》以来の敗戦の屈辱を味わうかのいずれかであった。

それでも大木は著作を続けた。戦時中であったこともあり、除夜の鐘に代って、ひそかにかき鳴らす古琴の音を聴きながら、琴にちなむ数編の詩をつくったのである。それ以外にも数々の詩を手掛けたが、無理をしたために、二月初めの夕方に貧血で倒れ、前後四カ月にわたってその宿に籠ることになったのである。

最愛の妻を歌に詠む

「冬の琴　除夜秘琴」の詩では、幾多の困難を乗り越えて、かけがえのない妻となった慶子も、昭和八年にはすでにこの世を去っているにもかかわらず、いつも変わらず慶子は大木の傍に連れそっていたのである。

「冬の琴　除夜秘琴」
雪、氷かたく閉《と》ざせる
戦ひのただなかにしも
雅《みやび》あり、愛しかりけり、
みちのくや、雪凍《こほ》る街《まち》
大晦日、夜《よる》のくだちに
駅路《うまやじ》のしづが旅籠《はたご》に
なげきつつ、侘びつつをれば

国を祈り、ひたすらあれば、
吾《あ》に添える影のかげ妻
あは雪のわかやる胸の
黒髪の匂へる君は

亡き妻以外にそんな大木を慰めてくれたのは、雪がもっとも身近なものとなったことだ。春の訪れに歓喜したのはいうまでもない。雪に埋もれた暮らしをしているがゆえに、かえって感動もひとしおなのである。

「不安と苦悩の象徴として眺めた田園のたたずまひは、わけても雪をかつぐ阿武隈その他の山脈《やまなみ》は、いまや早春の生気にみちみちた光彩を放って、はるかに私を呼んでくれた。それは、わたしに蘇生を信じせしめたのである。憂鬱と倦怠のどん底から歓喜はわたしの胸をつきあげた」（『山の消息　田園四季の記――あとがきとして　冬』）

春の到来を機にして、大木は浪江から奥へ一里半の大堀村の山家へ移ったのである。戦局は芳しくはなかったが、そこは別天地であった。

「そこは高瀬川の畔《ほとり》で阿武隈山脈を遠くのぞみ、呼べばこたへるところに大高倉の芝山を仰ぎ、丘や桑園や田畑にとりまかれて、いかにも田園といふにふさはしい牧歌情緒にみちてゐた。大きな囲炉裏に、ふんだんに薪を焚き、煤《すす》けて黒光る柱にすがって番茶を飲んだ。ガタヒシした風呂場にはパチパチ火が燃えて、枯松葉のにほひがした。かうした囲炉裏に親しみ、かうした風呂につかり、明けても暮れても高鳴る河瀬の音を聞きながら無為をむさぼり、明けても暮れても野菜と味噌で体を養ふといふ簡素生活が始まった」(『同春』)

敗戦の報に接したのも大堀村においてであった。大木の病気そのものは全快したが、祖国はどん底に突き落とされたのだった。正直に大木は自らの思いを告白している。詩人としての大木の前途は、まさしく暗闇そのものであったにもかかわらず、祖国の将来については直感的なひらめきを感じたのだった。

「戦時中、とりわけ戦争末期に、われわれは到るところで、事ごとに、壁に突きあたる思ひであったが、またしても今度は敗戦による断崖絶壁の上に立たねばならなかった。しかし、とにかくにも、頭の上はすぐ青空だというよろこびをも否むわけにはゆかなかった。沈痛のうめきの中からも、不思議と望ましい明るいものが感ぜられるのであった。重圧の窓を押しひらいて、窒息に瀕した息を大きく吐く思ひだった」(『同秋』)

大木自身が予想した通りに、東京に引き上げた彼を待っていたのは、戦争に協力した詩人としての迫害であった。文壇から白眼視されたのである。大木と同じような目に遭った詩人や作家は数多くいたが、保田與重郎をはじめとする日本浪漫派の多くは、昭和三十年代の半ばから再評価されて多くのファンを得ることができた。

それと比べると大木の境遇は悲惨であった。追放ということにはならなかったが、それ以上の冷たい仕打ちを受けたのである。精神的に立ち直ろうとして、様々な仕事を片っ端から引き受けたが、再び名声を得ることはできなかった。
それでも浪江の人たちは故郷を歌った詩人として大木のことを忘れなかった。昭和二十六年には戦争末期の疎開先である大堀村近くの神鳴の高瀬川河畔に、面識もなかった若者である松本哲夫の発起依頼により、大木の『山の消息』に収録された「高瀬川哀吟」の碑（自然石）が建立されたのである。

「高瀬川哀吟」
阿武隈の山脈《やまなみ》を背に
高瀬川いざよふ波の
せせらぎや、わが血のたぎり、
沙の上《へ》に影をとどめて
世を欺くわれやそも誰、
天霧《あまぎ》らふ大高倉の
さみどりの山のなだりに
白雲は愁ひ翳《かげ》らひ、
ま玉なす数を累《かさ》ねて

磧石《かはらいし》しろきなぞへに
だんぶ花くれなゐ悲し、
日は真昼、水無月《みなづき》はじめ
河鹿《かじか》鳴く声をうつつに
眼《まなこ》閉ぢ、眼《まなこ》ひらけば
川水はわれをめぐりて
さやかなり、沫《あわ》だち流る、
ここにして過ぐる幾時《いくとき》
行く雲の人や幾たり
苦患《わづらひ》のゆきのまにまに
身を投げて涙し流る。

大木にとっても苦しい生活の連続であったことは、この二首の歌からも理解できる。

食《を》す物の乏しき日月《ひつき》かさねつつ今日もまた摘むあをき野草は

ゆくらかに吹かせばかなし虎杖《いたどり》のこのむらさきの煙くゆらに

大木もまた、野の草を摘んでは食べ、虎杖を蔭干しにして煙草の代わりにしたのである。それでもなお高瀬川の流域は、大木にとっては、生涯忘れることができない別天地であったのだ。

しかし、平成二十三年の東京電力福島第一原発事故の影響によって、高瀬川流域は帰還困難区域に指定され、現在も立ち入りができなくなっている。「国破れて山河あり」の感慨を大木が懐いたであろう山や川は失われてしまったのである。

北原白秋の高弟であり、誰よりも大東亜戦争の意義を理解していた大木は、祖国の神々の命じるままに、悲壮なる覚悟で『海原にありて歌える』を世に出したのである。

戦後になっての大木の詩作も高く評価されて然るべきではあるが、何よりも後の世に語り伝えられるのは、森繁久彌も愛唱したその詩集なのである。その大木が深く傷ついたのは当然の宿命であった。道理を超えて訴えなければならなかった民族の詩人は、自らの身を犠牲にしなければならなかったからだ。

その大木を癒した浪江町やかつての大堀村は、日本の神々が選んだ地であったにもかかわらず、皮肉にも科学技術の権化である原子力発電の事故によって、筆舌に尽くしがたい悲劇を味わったのである。何と皮肉なことであろうか。

第七章　傑物後藤新平の須賀川時代

新型コロナウイルスの感染者が世界各国に比べて日本が少なく、死者もそれほど多くないのは、衛生の観念が普及しているからではないだろうか。先人の努力があったからであり、とりわけ後藤新平の果たした役割は大なるものがある。

新村正は後藤について「後藤の一生を振り返ってみると、個別の患者を診る臨床医から出発して、その後は多くの人の救療をめざす衛生官僚に転じ、最後は国民全体の『生理的円満』をめざす政治家となっている」(『健康の社会史』) と書いている。

後藤の足跡は一言では語りつくせないものがあった。その根本にあったのは、人々の命と健康を守るという使命感であり、それが結果的に「政界の巨星」とまで呼ばれることになったのである。

とくに後藤の人生において重要であったのは、世に頭角を現す以前の福島洋学校や須賀川医学校時代のことではないだろうか。その辺のことを中心にして、後藤新平について論じてみたいと思う。

明治、大正、昭和の三代にわたる逓信大臣、二度の内務大臣、外務大臣、満鉄総裁、三度の鉄道院総裁、東京市長、帝都復興院総裁、東京放送局初代総裁、日本少年団連盟総裁を歴任することになったのは、後藤のような人材を我が国が必要としていたからなのである。

後藤は安政四（一八五七）年六月四日、現在の岩手県奥州市（水沢）に生まれた。父は留守家の家臣後藤実崇《さねたか》であった。母利恵は侍医の筆頭、坂野長安の長女であった。

留守家はわずか二万石の小藩であったとはいえ、源頼朝が遣わした名門で、戦国時代末期には伊達政宗の臣下となった。後藤家の石高は十五石であったが、新平の父は小姓頭、祖父は目付の職を勤めた。一族には蘭学者で幕府の弾圧で命を失った高野長英がいる。

安場・阿川との出会い

後藤に一大転機が訪れたのは、仙台藩が戊辰戦争で敗れたことで留守家の家臣団も、帰農するか、北海道に移住するかの二者択一を迫られたからである。

水沢旧城内に胆沢県庁が置かれた。それに伴って中央政府から役人が派遣されてきた。権知事《ごんちじ》は武田亀五郎、大参事安場一平、少参事野田大造であった。それに史生《しじょう》として阿川光裕が付いてきた。武田は伊予の宇和島藩士、安場と野田は肥後の熊本藩士、阿川は伊勢の菰野《こもの》藩士であった。土地の人を召し抱えて地元民との連絡を取る必要があったので、後藤も採用されたのだった。

あくまでも主人の用足しをしたり、送迎接待をするような仕事であった。最初は大参事の安場のもとに預けられたが、次いで史生の阿川と暮らすことになった。阿川は三計塾《さんけいじゅく》の安井息軒《そくけん》の門下で、彼から後藤は孫子の講義を受けた。後藤が十三歳で、阿川は二十五歳の青年であった。

安場が明治三年に胆沢を離れることになった。安場に代わって水沢県大参事として赴任した嘉《か》悦《えつ》氏房が上京するのに付いていき、安場の同郷の肥後人の荘村省三の書生となったのである。しかし、こき使われただけであったので、帰郷して再起を期すことになった。

そのタイミングで好機が到来したのである。阿川が明治五年十月以来、福島県庁に転任していたのである。そして、阿川は後藤の父実崇に次のような手紙を書いて寄こしたのである。

「令息ヲ僻邑《へきゆう》ニ屈セシム、誠ニ惜シムベシ。方今医学一新、復《ま》タ昔日ノ類ニ非ラズ。宜シク之ヲ修ムヘシ。今此ニ福島県病院医学所ヲ設立シ、来学スルモノ甚タ多シ。令息医学ニ志アラハ、余為メニ聊《いささ》カ学費ヲ給セント」

阿川はまず後藤を医師にしようとしたのだ。あまりにも血気盛んな後藤を役人にしたならば、とんでもないことをしでかすかも知れない。それよりは手堅い職業に就かせようとしたのである。

後藤が阿川の宿舎に着いたのは、明治六年五月十六日のことであった。まだまだ医学校は整備されていなかったこともあり、阿川と相談した結果、その前の準備段階として福島洋学校に入ることになった。そこに入学したのは五月二十二日のことであった。

ただ、そこでも後藤は満足することができなかった。あくまでも医学の道に入るための準備のためであったが、そこの教師というのは学識もなく、わずかに英語のリーダーと初歩の文法を教えるのが精一杯であった。そこで関心は数学の方に向くことになり、数学教師の市川方静に就いて数学と測量術の習得に時間を費やした。

これには阿川が怒ってしまい、勝手に英語の勉学を怠って、測量官費生応募の準備に没頭していることを詰問されたために、後藤は心を改めて須賀川医学校に入ることになった。十八歳の春であった。

極貧だった須賀川時代

後藤が明治七年二月に入学した須賀川医学校というのは、須賀川病院の付属事業として、医師を要請するために設けられたもので、医学所と称し、修学一、二年にして、学識技術が達すれば、これを助手に登用して、若干の月給を与えて、代診や手術の補助にあたらせるという速成養成機関であった。現在の医科大学と比べると、はなはだ設備も不完全ではあるが、付近に適当な医学校がなかったことや、当時の日本医学会の名が知れた塩谷退蔵を院長兼医学所長にするなど、学ぶことも多かったのである。

後藤が科学に対して目を開かれたのは、須賀川医学校においてであった。頭の良さはもってうまれたものであったが、努力も人並み以上であった。

二月に入学したというのに、四月には理学、五月には化学の試験に合格し第三等生となり、十月には解剖学及び原生学を終えて第二等生に進み、明治八年一月には二等本科上等生となり、薬剤学、治療学を学びつつ臨床医としても経験を積んだのだった。

東北の一地方都市において後藤は、社会に出る第一歩を踏み出したのだ。即戦力の医者になるというよりも、医学を通して科学に開眼したことが、それ以後の人生にプラスに働くことになったのである。

同時に、後藤にとっては、世に認められるための準備期間であった。変わり者と見られることにも無頓着であった。貧しい学生であったことで、後藤は須賀川の評判になった。鶴見祐輔は須賀川医学校時代の後藤について、「異形の人」であったと書いている。

「彼は当時、阿川より受けたる学資と、折々家より送られたる金子とを以てしては、とうてい満足に衣食住の費用を弁じ、尚且つ学校に必要なる支出をなすことができなかった。従って彼は、倹約をしなければならなかった。彼はボロボロの古着物、古袴の、時には片足に草履、片足に下駄という服装で町を出歩いた。しかも斬髪《ざんぱつ》の金も無く、風呂には三十日も四十日も入らないという有様だから、蓬頭乱髪《ほうとうらんぱつ》、異形の人であったことは想像に難くない」（『決定版正伝・後藤新平〈医者時代〉』）

須賀川は、一本の本通りを中心としてできた町であった。須賀川医学校が町外れにあって、本通りの中ほどには妓楼が軒を並べていた。

後藤は読書に疲れると、決まってその本通りを散歩した。襤褸袴で道の中央を悠然と闊歩する姿は人目を惹いた。いくら貧乏書生でも、好男子であったせいで、遊郭の女たちは欄干に集まってワイワイ騒いだといわれる。

須賀川の町に「下駄はちんばで著物はボロよ　心にしきの書生さん」という流行歌までできたのだった。後藤が好んでそのような身なりをしたのではなく、それだけ経済的に困窮していたのである。しかし、その苦学した須賀川医学校の二年半というのは、後藤にとっては、七十三年の生涯における唯一無二の学生時代であった。

若かったこともあり、後藤への誘惑がなかったわけではない。色々な女性が手紙を送ってきたが、それを歯牙にもかけなかった。友人が「紅灯緑酒」の巷に誘ったが、後藤は応じることがなかったのである。それ以上に後藤には大きな志があったからだ。

医師から内務省役人へ

須賀川医学校以降の後藤の立身出世ぶりは目を見張るものがあった。振出しは愛知県病院の医師となったことだ。明治九年八月のことであった。十九歳の若者であったが、三等医として月十円支給された。

安場が明治八年十二月二十七日から愛知県令としてその地にあったことや、阿川もまた明治九年一月二十七日から愛知県十一等出仕として、名古屋に赴任していたのである。

愛知県病院の招聘に応じたのは、二人の恩人がいたからである。それと同時に大都会名古屋の愛知県病院には、オーストリアの名医ローレッツ博士、翻訳家でもあった司馬凌海が教鞭をとっていたことも、後藤の心を動かしたのだった。司馬は医学所教師兼通弁で、ドイツ語に堪能であった。後藤も十月には司馬の塾に入ってドイツ語を学んだ。

次の転機となったのは、明治十年に西南戦争が勃発したからであった。傷病兵のための大規模な陸軍臨時病院が大阪に設置された。有能な医師が多く参加する意思を表明していた。後藤も愛知県病院を一旦辞して、陸軍臨時病院の傭医として働くことになったのは、明治十年九月からであった。そこで外科医としての経験を後藤は積むことになったのである。それ以前に七月に陸軍臨時病院院長の石黒忠悳《ただのり》を訪ねている。この石黒との出会いが、後藤が後になって内務省入りするきっかけとなった。

同年十一月には陸軍臨時病院の仕事も忙しくなくなり、名古屋の鎮台病院の傭医を経て、明治十一年三月に愛知県病院に復帰し、明治十四年十月には愛知県医学校長兼病院長に就任した。まだ二十四歳だったこともあり、代診と間違われないようにと髭を生やすようになった。

愛知県医学校兼病院長時代に、後藤は行政官としての頭角を現した。明治十五年から全国の地方の医学校は、甲乙の二種に分けられることになったが、愛知県医学校が甲種に選ばれたのは、後藤の力によるところが大きいのである。

一病院や一医学校のことにとどまらず、後藤の関心は、病気の予防へと向かったのである。明治十一年十月、安場県令に「健康警察医官ヲ設ク可キノ提言」を提出したことで、内務省の衛生局長の長与専斎《ながよせんさい》と交渉することとなった。

そうした後藤の進言に長与も心動かされた。地方に置くには惜しい人材と注目され、長与や石黒の推薦もあって、明治十六年一月に後藤は内務省御用掛となったのである。役人としての後藤の活躍は目を見張るものがあった。

明治二十二年には『国家衛生原理』を刊行し、公衆衛生の大切さを説いたのである。さらに、後藤は明治二十三年九月からドイツに留学した。ドイツの衛生行政や社会政策から多くのことを学んだのだった。

明治二十五年ドイツから帰国した後藤は、十一月には内務省衛生局長に任命された。長与の後を引き継ぐことになったのである。後藤は局長在任中に、北里柴三郎を中心とした伝染病研究所を設立したことも功績に数えられる。

相馬事件で収監へ

後藤とてとんとん拍子ではなかった。相馬事件に巻き込まれて、局長の座を追われることになったばかりか、半年間の入獄を経験することになったからだ。

旧相馬藩主の相馬誠胤が精神に異常を来たしているとして、監禁されるという事件が世間を騒がせた。それは陰謀であるとして立ち上がったのが、元藩士の錦織剛清であった。

須賀川医学校にいたことから、後藤と相馬家は顔見知りであった。愛知県病院の事務局長の今村秀栄は元相馬藩士。誠胤に同情的であった。今村を通じて錦織とも知り合いになり、誠胤を巣鴨の病院から強奪することを支持し、自宅に匿ったりもした。それらの動きが功を奏し、誠胤は病院の外で暮らせるようになった。

そこまでは問題はなかったが、誠胤が急死すると、錦織が毒殺されたと騒いで、相馬家の一族らを訴えた。しかし、それは勇み足であった。解剖の結果、毒殺の証拠は見当たらず、逆の相馬家の一族から錦織は誣告《ぶこく》罪で告訴された。形勢は逆転し、後藤も共犯とされ、明治二十六年十一月には収監されるにいたったのである。翌年五月の東京地裁や十二月の東京控訴院では、証拠不十分として無罪が言い渡されたが、後藤にとっては大変な痛手であった。その一方で、半年にわたる入獄の経験は、後藤を人間的に鍛えることにもなったのである。

近代化進めた行政官

明治二十八年九月、後藤が衛生局長に再任されるや、行政官として出世コースを歩むことになったのである。明治三十一年三月には、台湾総督に次ぐ台湾総督府民生局長に起用された。そして、台湾の慣習を重んじることで、台湾の人々との摩擦を最小限にしたのだった。

引き続き、明治三十九年十一月からは南満州鉄道株式会社の初代総裁に就任した。そこでの後藤の方針は「文装的武備」というスローガンであった。一般的には軍事的な面に結び付くと考えられがちである。学校や病院を整備することは、戦争に突入した場合には、兵の供給源となるばかりか、負傷者を手当てすることができるからだ。

北岡伸一は、それとはまったく異なった見方をした。その典型が満州鉄道についての考え方であったというのだ。

「むしろ後藤は満鉄による満州の文明化自体に強い関心を持っていた。文明の恩恵を与え、且つ世界文明に貢献することに、後藤は強い誇りを感じていた」（『後藤新平――外交とヴィジョン』）からである。軍事的な意味合いよりも、日本とロシア、さらには国との関係を、相互依存的なものに変えていくことを念頭に置いていたというのを、北岡は高く評価したのだった。

その点では満州や台湾で都市建設もそれに即したものであった。日本人のためというのではなく、多くの満州や台湾の人たちが住めるように配慮した。

後藤は明治四十一年七月、第二次桂太郎内閣で逓信大臣、五ヶ月後には鉄道院総裁も兼ねた。日本の近代化を推進した足跡は数多く列挙することができる。明治四十四年八月、第二次西園寺内閣が成立すると一時的に在野の人になった。そのときにロシアを訪問し、英米以外の大国の力を肌で感じたのだった。大正元年十二月、第三次桂内閣が成立すると、後藤は逓信大臣兼鉄道院総裁・兼内閣拓殖総裁となったが、内閣自体が短命であった。

大正五年十月に寺内内閣が成立すると、後藤は内務大臣兼鉄道院総裁、大正七年四月には外務大臣に就任した。そこで後藤は列国協調と日中提携を外交の柱にした。しかし、ロシア革命の勃発で、その思惑は達成寸前で崩壊した。

政界に活躍の場を与えられたのは、大正九年十二月に東京市長に就いてからであった。北岡が力説しているように、文明国にふさわしい首都を建設することが、自らの使命であると認識したからだろう。東京改造計画をぶち上げ、その費用が八億円かかると試算した。日本国家の予算が十五億円の時代であっただけに、大風呂敷と評されたのだった。大正十二年九月の関東大震災で東京は焦土と化したため、第二次山本権兵衛内閣で後藤は内務大臣兼帝都復興院総裁となった。待ってましたとばかり後藤は東京大改造に乗り出そうとしたが、政友会が反対したために、中途半端にならざるを得なかった。それでも、大筋は後藤の構想が取り入れられたのである。

苦学生の経験が原点

役人や政治家として活躍した後藤の原点は、須賀川医学校であったのではないだろうか。苦学生として庶民の一人として暮らしたことが、後になって生かされることになったのである。単なる精神論ではなく、科学的な探究心が後藤に芽生えたことが、その後の人生を決定付けたのではないだろうか。

さらに、忘れてはならないのは、後藤は地方自治の大切さを説いたことである。後藤の『国家衛生原理』はまさしくそうである。新村拓は『健康の社会史』で、その思想について、過剰な規制を排した点に触れ「強制力を発動して取締にあたる衛生警察と、公害防止や飲水確保といった福祉活動にあたる衛生事務とがあるが、漸次、自治の発達したイギリスのごとく後者が中心となるべきである。そのためには人民が『生理的円満』をめざす『生理的動機』を自覚し、互いに協力保護し合うという自治の精神を向上させなければならない」との主張が根本にあったことを重視している。

現場を重んじたのが後藤であったのだ。空理空論ではなく、どのようにすれば事態を改善できるか。臨床医として培われた思想があったからこそ、明治・大正の日本を牽引する役割を担うことができたのである。

第八章　明治の骨格を築いた渋沢栄一

ＮＨＫの大河ドラマの「青天を衝け」の登場人物ということもあって、渋沢栄一への関心が高まった。多面性のある人物として、少年期から晩年まで様々なエピソードが取り上げられた。若い頃の渋沢が攘夷派の急先鋒で、横浜焼き討ちを計画し、長州とも密接に結びついていたことは、あまりにも有名である。にもかかわらず、渋沢は会津とも近い一橋家の家臣となり、あっという間に頭角を現すことになる。その辺の経過を書いたものは色々あるが、重要なのは、一橋慶喜との出会いではないだろうか。

慶喜が最後の将軍になることに、渋沢が反対したのは、幕府が崩壊寸前であることを察知していたからであり、それよりは一橋家が大名としての力を蓄え、薩長に対抗することを主張したというのは、理にかなった主張であった。

会津やそれを支えた奥羽越列藩同盟とて、幕府の再興を願ったわけではなく、薩長に主導権を与えることに抵抗があったからである。その点において渋沢と大差はなかったのである。

慶喜が慶応三（一八六七）年に開催されたパリ万国博覧会に慶喜が弟の昭武を派遣したのは、

徳川のためというよりも、自らの権力基盤を固めるためであった。大政奉還後も影響力を行使することを考えていたからで、自らが朝敵になるとは予想もしていなかったはずだ。

勝武の御供として選ばれたことが、渋沢の運命を決定づけることになった。ただ、ここで注目されるべきは、渋沢は政治制度などを学ぶ気はなかったことだ。関心を向ける対象が異なっていた。避けては通れない日本の近代化にとって何が必要かを見聞したのである。

渋沢は欧州に滞在したことで、自らの役割がなんであるかを自覚したのである。西洋においては「各人がその能力知識に依ってその職分を尽くす、この風習を日本に移すことに努力してみたいと私はその時に深く覚悟したのです」(「一九二九年の新年書簡」)との思いを抱くにいたったのである。

島田昌和は「渋沢は他の洋行者と違って、もっぱら商工業者の地位や銀行や鉄鋼業など幅広く近代産業やビジネスの実務に興味を持って新知識を摂取した。その背景は青年期から商いに携わった経験と、この文面に表れているように攘夷の無謀さや幕藩体制の旧弊を知り、政治への興味を失っていたこともあったと思われる」(『渋沢栄一　社会起業家の先駆者』)と書いている。

渋沢は自らが選んだそのコースを歩むことになるが、そのためには政治が安定することが最低条件であった。いくら能力があっても、統治機構がしっかりしなければ、すぐに水泡に帰してしまうからだ。

新政府は徳川家を静岡に封じ、存続を許すことになったが、それとて暫定的であるのを渋沢は察知していた。そのため、要職に就くことなく、地元の商人たちと静岡商法会を立ち上げた。ビジネスマンとしての第一歩を記したのである。

世情も安定してきた明治二年十月には新政府から請われて、大蔵省租税正に抜擢された。渋沢が新政府に目を付けられたのは、能力のある役人からなる官僚組織の重要性を理解していたからである。

能力がないにもかかわらず、役職だけあてがわれてふんぞり返るのが薩長閥の特徴であった。これでは国を動かすことは難しい。大蔵省の要職である大蔵卿に伊達宗城が就いたこともあり、伊達自身がかつて公武合体派であったことから、薩長以外の人材の発掘に力を入れたのだった。

大蔵省における渋沢の役割については様々な見方があるが、官僚組織が改革派として登場する中で、渋沢は参議であった井上薫と行動を共にした。

主流から外れたことがかえって、渋沢には幸いした。近代的な銀行業や会社制度の準備をするという仕事が回ってきたからだ。渋沢は第一国銀行の開業にともなって「総監役」に就任し、民間企業の育成に力を注ぐことになった。

民間経済人としての渋沢が最初に手を付けたのは、貸付先となる企業を育てることであった。そのうちの名の通った会社を列挙すると、第一国立銀行以外に、会長や社長を務めたのは、東京瓦斯、日本煉瓦製造、東京製鋼、京都織物、東京人造資料、東京石川島造船所、帝国ホテル、王子製紙、磐城炭鉱、広島水力電気、札幌麦酒などがある。

このうち注目されるのは、福島県に位置する磐城炭鉱が含まれていることだ。日本が産業化を推進するにあたってもっとも不可欠であるのは、石炭などのエネルギー源を確保することであった。

首都圏にもっとも近いこともあって、明治十六年に渋沢は、浅野総一郎、大倉喜八郎、さらには地元の磐城の経済人とともに常磐炭礦社を設立し、好間村出身の山崎藤太郎が本格的に乗り出した。

当時は海路で運ばれていたが、浅野は渋沢と共に二万五千坪の鉱区を申請し、磐城地方の鉱区のほとんどを押さえたのである。さらに、炭礦からの運搬は牛馬の力に頼るしかなかったので、常磐線を敷設して鉄道で運ぶことを主張した。

先見の明があった渋沢らの努力によって、常盤炭礦は日本のエネルギー源の供給地として、戦後の日本の復興にも大きな役割を果たした。特筆されるべきは、昭和二十二年八月五日、昭和天皇がわざわざ行幸されたことで、坑内地下千五百尺までご視察されたのである。

しかし、その後高度経済成長期に入ると、石炭の需要は低下し、最後まで常磐炭礦で残った鉱山も閉鎖され、それを引き継いだ常磐興産も廃鉱のやむなきにいたったのである。常盤炭礦に活気があった一時代を築いた功労者の一人は渋沢であり、時代的要請に応えての挑戦であった。

また、渋沢らが要望していた常磐線に関しては、明治二十九年に日本鉄道によって田端と水戸間が開通し、常磐炭田の石炭輸送の重要なルートとなった。日本鉄道会社は明治十四年に設立されたが、渋沢は明治十七年に役員に選出されてから持論を展開することになった。国が鉄道を運営することに対しては、渋沢は一貫して反対の立場であった。民営化こそが経済の底上げに貢献するとみていたからだ。

郡山と新潟とを会津経由で結ぶ岩越鉄道についても、建設を後押ししたのは民間の日本鉄道であった。当時の福島県知事であった日下義雄が渋沢に直談判をして実現にこぎつけたのである。日下の熱意にほだされた渋沢は、中央の資金をあてにするのではなく、地元の資産家の協力の大切さを説いた。そして、自ら出資したばかりでなく、株主を募るのにも積極的に協力した。創立者の一人として、明治三十六年に退任するまで、取締役として経営に責任を持った。

明治二十九年一月二十日、郡山駅から若松駅、新津駅とを結ぶ岩越鉄道株式会社が設立され、明治三十一年には郡山と中山駅間が、明治三十二年には若松駅まで、明治三十七年には若松駅と喜多方駅間が開業した。

渋沢が政府に鉄道の国有化を依頼するようになったのは、明治三十四年の金融恐慌によって倒産の危機に直面したからで、東京商工会議所会頭としてのやむを得ざる方向転換であった。それでもなお渋沢の功績は大なるものがあった。岩越鉄道を始めとして、渋沢が関与した鉄道は、今もなお地域経済を支える路線として維持されているからだ。

渋沢の全面的なバックアップを受けたのが、喜多方市出身の蓮沼門三であった。蓮沼は「流汗鍛錬、同胞相愛」をモットーにして、労使協調を推進した修養団を立ち上げた。蓮沼を支援するのをためらわなかったのは、政治的な立場に固執するのではなく、あくまでも人間を陶冶するという人格主義に感銘を受けたからであった。

渋沢の負の面として蓮沼との交流を断罪するのではなく、どこに共通点があったかを問題にすべきなのである。その点を正面から論じたのが島田昌和である。

「渋沢は拡大再生産を前提とした近代資本主義社会をよく理解し、そのための民間経済の隆盛のための旗振り役を務めると同時に、そのことによって生じる社会的な矛盾を認識し、社会公共事業に積極的に取り組んだ。民間経済に優秀な人材を惹き付け、なおかつプライドや使命感を持って近代経済の担い手となるべき広範な人材育成に腐心した。また、ハンディキャップをおった人々から目を背けたり、排除することなく、社会の正規構成員と位置づけ、コストとして社会が負担し続けるのではなく、少しでも社会に参加できる場を追求していった」(『渋沢栄一　社会起業家の先駆者』)

渋沢が蓮沼を評価したのは、極端な国家主義者ではなかったからである。最後の最後まで日米友好に尽力した渋沢は、平和の尊さを誰よりも知っていたからなのである。

渋沢は明治三十五年に訪米して以降、四回もアメリカの土を踏んでいる。昭和二年にアメリカの宣教師であるシドニー・ギューリックが人形を交換して世界平和を実現しようといった提案をしたのに対して、渋沢は日本国際児童親善会を立ち上げ、日米の人形の交換を実現させた。

蓮沼と同じく喜多方市出身の瓜生岩子《うりゅういわこ》は、明治二十四年に東京市養育院院長であった渋沢の招きで、幼童世話係に就任しているが、渋沢が六十三歳になった瓜生に活躍の場を与えたことで、貧しい民の救済に尽力した岩子を世に知らしめることになったのである。

日本が近代化するための牽引役になった渋沢は、光の部分だけではなく、闇の部分も直視した。だからこそ、社会貢献活動の先駆者でもあったのだ。その根底にあるのは、儒教的な道徳観であったことは確かである。

井上潤は『渋沢栄一　近代日本社会の創造者』のなかで、三菱の創始者である岩崎弥太郎が渋沢に向かって「君と僕とが手をくめば、この国は全部牛耳れるんだ」と話したときに、渋沢が断ったという逸話を紹介している。「私は、道義的な経営のもとで生まれた利益を公平に分配することを考えていきたいと思う。公益の思想のもとで考えていきたいんだ」と述べたというのだ。

公益という視点を見失った経営者は、単なる守銭奴でしかなく、儒教の言葉を使うならば、最終的には天から見放されるのである。

第九章　日米の架け橋たらんとした朝河貫一

朝河貫一はリアリストであった。日露戦争後の国際情勢をリアルに分析し、満州の利権をめぐって日米が対立し、その結果両国が戦争になることを危惧したのである。

朝河は冷静に分析を加えたのであり、日本が孤立しないために「清国の主権および機会均等の二大原則」（『日本の禍機』）を主張したのである。

また、矢吹晋の『日本の発見　朝河貫一』によれば、歴史学者であった朝河の功績は「日本の農民が奴隷的な状態に陥ることはなかった」との説を主張したことである。

日本農業は小さな田畑で小規模であったために、共同体規制が欠如し、農民の相対的な自由が保障されていたというのだ。色々な資料を読み解くことで、そうした結論に達したのだ。当時の朝河は、米国歴史学会の泰斗であり、日米の和解を説いたのは、歴史家としての警世の弁であった。

日本の変節を批判

朝河は、日本国を憂うるあまり『日本の禍機』を明治四十二（一九〇九）年に世に問うたのである。「清国の主権および機会均等の二大原則」を踏み外すことのないように、朝河は声を大にして訴えたのである。その「序」では、切々とその心情を吐露している。

「時事を評論するのは余のよくせざるところのみならず、また好まざるところなり。しかれども重要なる時事に関して誰人か為さざるべからずことの未だ誰人も容易に為さざるを見て、自ら揣《はか》らず、戦時一書を英米両国にて出版したることもあり。戦後の今日、同一問題の継続に関してこの書を著わすも、また実に同一の理によるなり。これを為すべき適当な人士がこれを為さずして、再び縁故遠く余暇なき余のごときものがこれを為さざるべからざりしを悲しむ」

警世の書でありながらも、「覇気ある文体を愛せず」、「著者の目的は、まず卑見を陳《の》べて、読者の高見を聴かんとするにあり」という謙虚な物言いであった。

朝河が危惧したのは、日露戦争の前と後では、世界の日本に対する見方が変わったからである。なぜそうなったかについて、日本人自身が気付いていないのを問題視したのだ。

「戦時には日本が最大の犠牲をもって満州を彼がために保存したるにもかかわらず、今や満州にも支那本部にも日本の恩を感じ日本を愛する支那人はたして幾人ありや。日本が宿志《しゅくし》のごとく支那を扶掖《ふえき》（助け）して東洋の文化を助成せんことはおろか、実に支那こそは満州における日本の横暴侵略を世に訴えたるものにして、世はしばらく支那の言を容れてこれに同情し日本を擯斥《ひんせき》したるものなり」

日米戦争の不幸予測

米国のエール大学で教鞭を取っていた朝河は、欧米で反日の動きが急速に高まってきていたことを、肌で感じとっていた。同盟の相手国であった英国ですら、アジアでの既得権益を奪われることを警戒し始めた。

好意的であった米国においても、日本が目の上のたんこぶになりつつあった。朝河はその時点ですでに、日米戦争の可能性に言及したのである。

「他日東洋の正義を擁護して列国競争の公平を主張するの任は勢い米国これを負わざるべからざらん、これがためにはあるいは日本と刃を交うるの大不幸をも冒さざるべからざるに至らんかと患《うれ》うる識者少なからざるなり」

朝河は言葉を選びながらも、アジアにおいて、米国の影響力が高まることで、日米の利害が衝突することを予測した。それを阻止するために、日本が何をすべきかに関して朝河は持論を展開したのである。

日露戦争の日本の大義名分は、まさしく「清国の主権および機会均等の二大原則」であった。このために日本は、百万の兵を動かし、国運を賭けて戦ったのである。

にもかかわらず、日本が世界から敵視されることになったのはなぜか。世界の国々が疑いを持っていたにもかかわらず、日本は何一つ弁解をしなかったからである。

「しかるに世の疑いを被れる日本自らは多く弁解の辞を用いず、政府も南満州鉄道会社も単に門戸開放主義を離れざることを抽象的に宣言するに止まりて、世の知らざるべからざるほどの事情すらも説明せざるもののごとし。ひそかに日本当局者の心を察するに、満州に関する今日の世論は一時の現象に過ぎざれば、日本だに沈黙せば自然に消滅すべし、今自ら弁護するはかえって世の注意を促し疑惑を増す所以なり、と思われるに似たり」

昔から日本は情報戦で諸外国に後れを取っていたのである。これでは「外国に在る日本同情者が日本のために弁護せん」としても、朝河のような個人レベルでは限界があると嘆いたのだった。

欧米との連携を強調

最悪の事態を回避するために、朝河は日本が歩むべき道を示したのだった。自分なりの処方箋も提示したのである。

しかも、それは「同文同種」であることから、大アジア主義に与して、間違っても日本が支那を指導することではなかった。朝河は「一日の長ある日本の『指導』を受くるにあらざれば、世の文明を学び難しなどという妄想に安眠し居れば、必ず却下より鳥の飛び起つに驚く時あらん」と言い切ったのである。それよりは欧米と組んで「支那の進歩を助成するに如かざるなり」と主張したのである。

日本が支那に深入りすれば、泥沼に足を取られることを見抜いていたのだ。支那というのは一筋縄ではいかない国家であり、距離を取ってうまく付き合うには、欧米を無視すべきではなく、そこと争うなどというのは、愚の骨頂であったからだ。

満州問題に関して譲歩することは、一つは支那に恨まれないことであると同時に、欧米の企業が参入することを認め、欧米との友好を維持するためには、絶対不可欠な条件であった。

「租借地にせよ、鉄道および鉱山にせよ、また大連にせよ、常に事あるごとに清国が満鉄経営の大事業と表裏相助くるの精神を確持してこれにあたるべし。而して世界列国に対しては、発表すべきことは淡然としてことごとく発表し、かつその企業の我と競争するものは皆我が公平を促し、我が力量を試す者として歓迎すべし」

朝河の助言を聞き入れなかったがゆえに、日本は欧米と戦争に突入することになって、悲惨な結果を招来してしまったのである。

朝河を無視した日本の指導者によって、昭和十六年十二月八日に太平洋戦争の幕は切って落とされた。開戦前に、朝河はルーズベルト大統領が採用してくれることに一縷の望みを託して、天皇あての草稿を執筆した。

最後の最後まで祖国日本を救おうとしたのだ。その願いはかなわなかったが、そこまでした日本人がいたのである。無謀な戦争の結果、焦土と化した日本は、昭和二十年八月十五日の敗戦を迎えることになったのである。

憲法改正を主張

敗戦十ケ月前の時点で、戦後改革について、朝河は経済学者のフィッシャーに長い手紙を送っている。日本における天皇の役割を力説したのだった。廃墟の中で立ちすくんだ日本人に向かって、朝河は、日本という国柄を再確認することを説いたのである。

「第一に、日本史上の重大危機に際して発生した大化改新と明治維新に共通する点は、主権者・天皇の裁可と支持である。第二に、日本史上において天皇の支持を欠いたまま、あるいは天皇の名と切り離されて、政治上の重大な決定が行われたことがない。第三に、天皇の特異な地位を理解するには、天皇の地位は絶対的だが、天皇自らの発意でそれを行使するのではないことを忘れてはならない。その説明として、天皇は枢密院の顧問官の進言を待ち、正規の国家機関を通じて行動するという特徴をもっている。天皇の受動的主権という慣習には危険性も潜む。最近十年のように邪悪なる奸臣が地位を占めて天皇の気が進まないにもかかわらず、その政策を押し付けることが一再ならず起きている。しかし、この事態は長続きしない。こういう一時的なことで問題を判断してはいけない」（矢吹晋著『朝河貫一とその時代』）

天皇制を廃止しようとする声も一部にはあったが、朝河は短絡的に暴走しがちなアメリカの占領軍に対して、勇気をもって警告を発した。朝河は国柄としての日本を信じていた、オールドリベラリストであった。時流に便乗した軽佻浮薄とは一線を画したのである。日本国憲法についても、朝河は独自の見解を表明した。

「独り、憲法が、日を永く無軍力の国と規定したることに、一片の禍機を孕まざるにあらず」（「今後の新日本おける個人の展望」）

日本の国柄を日本人が守り育て、自前の憲法を制定することを、朝河は誰よりも望んでいたのである。日本の主権が回復していないにもかかわらず、米国が憲法を押し付けることには、日本国籍を持つ者として、看過することができなかったのである。とくに、交戦権を放棄した九条二項は、国家としての日本を否定する条文であったからだ。

朝河について書かれた本の多くは、ともすれば「朝河平和学」という観点から論じているものが多い。しかし、朝河は、アメリカ流の民主主義を絶対視していたわけではなく、あくまでも強国アメリカとの友好を重視したのである。

朝河の再評価にあたっては、その点を重視すべきであり、オールドリベラリストとしての、和辻哲郎や尾高朝雄などと同じような朝河貫一像が浮かび上がってくるのではないだろうか。

朝河貫一は一八七三年二本松に生まれ、福島尋常中学校（現安積高校）、東京専門学校（後の早稲田大学）文学部を首席で卒業。二十三歳で渡米してエール大学で学ぶ。二度帰朝した時期を除いて、主に米国の史学会で活躍し、六十九歳までエール大学で教鞭を執った。一九〇五年八月のポーツマス会議に際して賠償放棄論を説く。一九四一年に昭和天皇へのルーズベルト大統領親書案を書く。一九四八年に米国バーモント州で死去した。最後まで日本国籍であった。『日本の禍機』以外の著書に『米国から日本へ』、『入来文書』、『大化改新』、『中世日本の土地と社会』などがある。

第十章　室井光広さんの死を悼む——土俗の力を文学で表現

会津高校で私より二つ後輩であった芥川賞作家の室井光広さんが二〇一九年九月二十七日に亡くなった。室井さんは『おどるでく』という小説で芥川賞をもらったが、ネットなどを見てみると、ほとんどの人が難解でよく分からないという。それには理由がある。室井さんは会津弁で書いているからである。

会津弁という言葉の持つ強さというか、なかなか理解しにくい言葉を散りばめているがために、普通の日本人であっても、理解するのは困難である。会津弁の力というか、日本語でありつつも、日本語と違った土俗性がこれから見直されていくのだということを、室井さんは言いたかったんだと思う。

最初の出会いは会高

私は会津高校で彼と知り合いになった。少しは室井さんのことを語れるのではないかと思う。

室井さんの小説は、これから十年二十年後には、再評価されるような気がしてならない。会津弁で今の世界の最先端の思想的課題を小説にするというのは、ものすごく大変なことだが、そこに彼は果敢にもチャレンジしたのである。

多くの人に理解されるまでには、それなりの時間がかかるし、会津弁の持っている土俗性とかを、きちんと踏まえつつ、最先端の思想課題を室井さんが掘り下げたことを論評する人が、必ず会津人の中から出てくるんではないかと願っている。そして、私の役割というのは、まず前段の仕事として、室井さんが何を言いたかったかということを、話題にしたいのである。

室井さんと初めて会ったのは、私が会津高校の三年生のときである。一年と二年は社弁クラブに属していたが、あの時代に学生運動とか色々あり、三年になってから哲学同好会に移った。仲間と一緒に音楽室でたむろしていたら、彼が一人で部屋に入ってきた。室井さんの顔を見た途端、仲間に向かって「一風変わった雰囲気がある」と喋ったことを覚えている。私たちにはないものを持っていたからだ。

あくまでも私の直感だが、室井文学でいうと「ねこまたの聞かせ」というか、第六感で、現実の世界以外の別の世界も見ている人間であった。そのときから私は、室井さんは作家になると確信していた。室井さんはことさら目立っていたわけではないが、あの当時人の前で大演説をぶつ人間は結構いたが、しゃしゃり出るタイプではなかった。

芥川賞と群像新人賞

室井さんが『霊の力　J・L・ボルヘスをめぐる断章』で第三十一回群像新人賞に輝いたのは昭和六十三年のことである。その当時僕は広告屋をやっていたが、会津若松市役所の前にあった毎夕新聞の手伝いもしていた。「東西南北」というコラムを書いていたから、室井さんに電話でインタビューをした。

群像新人賞も会津で初めてだったため、私が「よくやった。たいしたもんだ」と褒めると、室井さんは「次は芥川賞ですよ。小説を書きますから」とキッパリと言い切った。これには面食らった。評論家としてデビューしたと思っていたら、小説家になると公言したからである。群像新人賞の受賞者として彼のことは記事にしたが、芥川賞を口にしたことは触れなかった。

驚くなかれ、彼の言葉は嘘ではなかった。平成六年に『おどるでく』で第一一一回の芥川賞を受賞したからである。それから間もなく、私は室井さんの住む千葉県の四街道市を訪ねた。一度目のときは二階建てのアパートだったが、受賞後は一戸建ての住宅であった。

広告屋なもので、私は室井さんにはお世話になった。平成八年に湯川村の薬師三尊像が国宝に指定された。広告を集めてＴＵＦで番組をつくってもらった。その際に室井さんが出演してくれた。室井さんが自宅に勝常寺の薬師三尊像の写真を飾っているのを知っていたから、断られるのを承知で声を掛けた。義理堅いというか、快く承諾してくれたのが忘れられない。

室井さんによれば、室井さんが取るべくして取ったというよりは、一編集者のおかげだという。一度は「群像」への掲載が拒否されたそうだ。評論では評価されていたが、小説となるとジャンルが違うので、そんな簡単なことではないからだ。最初は編集長から「評判が落ちるのでこんなものは掲載できない」とけんもほろろに突き返された。独断で知り合いの編集者が強引に載せてしまったことで、室井さんが芥川賞作家になることができたのだという。表に出ない隠されたドラマがあったのである。

小説『おどるでく』

『おどろでく』は活字が詰まっていて、段落もないので読みにくいのは当然だが、室井さんの造語である「ねこまたの聞かせ」がひらめいたような体験をした。会津弁で書いてあることを理解すれば、すらすら読めるからだ。

登場人物が多いわけではない。室井さんの分身のような主人公がいて、肥田岩男さんというのは、家族が疫病で亡くなってしまったので、血はつながっていないが、母親の実家で一緒に育てられた人である。主な登場人物は、岩男さんの子供の到さんと、サキ子さんというのは、主人公とは「イトコ同士」のような付き合いをしている。そして、主人公の高校の同級生で同じ町に住む露文氏、時たま電話をかけてくる知人、主人公の祖父がいるだけなのである。

この露文氏が書いたとされるロシア文字日記七冊が二階の片隅から発見されたことから、『おどるでく』は始まる。二階といっても、屋根裏部屋で蓑がぶら下がっているような所。その日記を主人公が一年かけて翻訳したというのだ。混乱するのは最初の方の文章で「それにしても他人の日記が私の生家の二階のスマッコから見つかるというのはいかにも不自然である。だから露文氏はじつは私であるといってもかまわない」と書いているためだ。

それでいて、露文氏自体が実在するかのように記述している。到さんが高校に入学すると、一年生で東洋思想研究会を立ち上げる。それは昭和四十五年当時、現実に会津高校にあった研究会である。『おどるでく』では、その中心が到さんで、取り巻きに主人公と露文氏がいるわけだが、フィクションのなかにも事実がちりばめられている。

そしてサチ子さんというのは、父親の岩男さんが屋根ふきであることから、屋根ふき職人を英語に訳すとサッチャーなので、サキ子さんは「サッチャーの助手」ということになる。「サッチャー女氏」と呼ばれるようになったのは、「われわれの郷里ではシュの発音がうまくできないから」と説明が加わえられている。会津弁が顔を出すのである。露文氏は「サーシャ」というように、ロシア語の愛称で呼んでいる。

きっと室井さん自身が失恋を経験したか、さもなければ失恋談を聞かされたのだと思う。サーシャと主人公と露文氏は、精神的な三角関係であった暗示されている。

『おどるでく』ではサーシャは投身自殺をはかったことになっており、あたかも死んでしまったかのように書かれている。これは確実に、万葉集の歌に出てくる「真間の手児奈」の伝説をモチーフにしている。後からそれは出てくるわけだが、「葛飾の真間に見目うるわしい処女がいて複数の男に言い寄られ煩悶のすえにママ（崖）をすべり落ちて淵へ身を投げたという伝説」である。ただし、すぐにどんでん返しがあって「現実には到さんの妹は今も生きており、兄がボーリングに成功した温泉の女将として活躍中」との文章が続く。主人公は妄想と現実との間に、一線を引くことを拒否している。はぐらかすことで、プラトニックであったことを、婉曲に表現したかったのではないだろうか。

ロマンチックな夢を破壊するのは、性的な生々しいエネルギーである。室井さんはそれを語らないのではなく、あえて隠蔽することで、異次元の世界の出来事にしたのだ。石川啄木が記した『ローマ字日記』とも共通している。だからこそ、悪所通いに明け暮れた啄木のその日記からも引用することを、露文氏は躊躇しなかった。

また、ドミニコ会士フラーテル・ディダクス・コリャード著の『コリャード懺悔録』を紹介している。日本人の性の自由奔放さが赤裸々に記述されており、「淫は外に漏らす」という言い方などは、生々しいものがある。

なぜサーシャという処女にこだわるかというと、『おどるでく』には隠された登場人物がいるからだ。それを室井さんが蘇生させようとしたのである。奥会津には隠れキリシタンがいたというのが背景にあり、その亡霊がサチ子さんに憑依したのである。

隠れキリシタンの伝説

ボーリングをして温泉を掘り当てた到さんは、奇妙なものを見つけた。「発掘されたのは人骨で、霧下村が古くキリシタン信仰の隠れ里だったという言い伝えは、それが白人の人骨と鑑定され、地元の新聞にもなったことで信憑性を増した」とわざわざそのことを取り上げているのは、土俗の亡霊に目を向けさせるためなのである。

到さんは東大を出るほどに優秀で、金儲けにかけても才能を発揮した。露文氏も側近として活用し、かるかや商事を設立し、文化財の指定を受けた集落の復元に尽くした。さらには、自然水の「おどるでく」のパック瓶が爆発的な人気を博すが、それよりも何よりも人骨を見つけた功労者として特筆されたのだった。

土俗性ということでは、屋根ふきの親方である岩男さんを無視することはできない。軍隊生活が長かったせいで、様々な試練をくぐり抜けたが、苦労話などは一切口にしなかった。上官のために何ができるかということを考えあぐんだ末に、「班長殿フンドシを洗わせて下さい」の一言物申したかったのに、それができなかったことを悔やむ一土俗民なのである。

そんな岩男さんにも「岩あんにゃのマリア物語」があった。岩男さんは北支で終戦を迎えたが、ソビエトに抑留されたのだった。三回目の収容所で、女性の所長であったマリア・パーヴロブナに淡い恋心を抱いた。学問のある日本人のインテリは、共産主義を賛美するのに対して、ひらがなを読める程度の学力しかない岩男さんは、そのときばかりは「あなたの着ている物を洗濯させて下さい」と懇願し、願いがかなえられたのである。

そんな一土俗民の健気さと、黙々と「サッカケ小屋」を作った功績で、岩男さんは共産党員でもあるその女性所長から「社会主義労働の英雄」とまつりあげられたのだ。白人の女の人の人骨が見つかっただけではなく、計五つの「オンバマリア像」が出土すると、岩男さんがわざわざマリア地蔵尊堂を建立したのは、マリア・パーヴロブナへの恋心と無関係ではないのである。

湯の上は霧下温泉

このほか『おどるでく』では、下郷町の地名が愛称に置き換えられている。全国的に観光地として有名になった大内宿は「木霊《もくれい》の宿」。塔のへつりは「ママの河原」、湯の上温泉は「霧下温泉」なのです。そこまでこだわるのは、失われた者たちの記憶を、今生きている者たちが呼び覚ますには、そうした舞台が欠かせないからである。

そこにプラスして、自他の区別をなくす言葉の力が、今なお奥会津に息づいていることを、室井さんは『おどるでく』で示したかったのだろう。万葉集の「ら」が「われわれの地方に今も生きている」と言いたかったのだ。「到らは偉いもんだ」と言うのは、単数でありながらも、「露文氏は自分が『僕ら』と書くときは万葉のしっぽ（おどるでくの糸くず）と同じように、単数でありながらも『千変万化』するエネルギーが秘められていると断言するのである。

それもまた会津弁の秘められた力なのである。自分が変わることで、サキ子さんも変わり、世界も一新されて、どこからか過去の亡霊が立ち現れる。室井文学を理解できるかどうかは、生物か無機物を問わず霊魂が宿るという、会津弁を解読し、アミニズム的な信仰の核心をつかめるかどうかなのである。

室井さんが挑戦したのは、文学のエクリチュールを解体することだったと思う。ロラン・バルトの『エクリチュールの零度』（森本和夫、林好雄訳）の解説文として、モーリス・ブランショは「零地点の探求」で「〈エクリチュール〉なしに書くこと、つまり、文学が消滅し、虚為であるその秘密をわれわれがもはや恐れる必要がない非在の地点へと文学を連れて行くこと、これこそが、〈エクリチュールの零度〉であり、あらゆる著作家たちが意図的なり無意識的なりに探究しているところの、そしてある著作家たちを沈黙に導くところの、中性状態なのだ」と書いている。

それが成功したと私が断言したいのは、日本語の中の外国語としての会津弁の、抑揚のない一本調子のトーンが、かえって日本人の心に食い込むからである。〈エクリチュールの零度の文学〉は、未来の新たなるコミュニケーションの形を指示しているのではないだろうか。

第十一章　蓮沼門三と藤樹学——根本にあるのは「孝経」

蓮沼門三は、明治、大正、昭和という時代を生き抜き、昭和五十五年六月六日、九十八歳の天寿を全うしたが、社会教育に全身全霊を捧げた。優れた思想家のように、卓越した理論を世に問うたのではなく、人間の生き方に関して、私たちの琴線に触れる行動をしたのである。

蓮沼が育ったのは喜多方市岩月町宮津字大沢。蓮沼家の人間になるにあたっても、母親モトの葛藤のドラマがあった。そのことを考えるにあたって、単に私は逸話を並べたてるだけではなく、喜多方地方を中心にして、会津で大きな力を持っていた藤樹学、心学との関係から論じてみたいと思う。蓮沼がこの世に誕生するにあたっては、そうした精神風土と無関係には思えないからだ。

まず生誕の時期と場所が、まさしくドラマチックであった。吹雪の日の山道で生まれたのだ。明治十五年二月二十二日のことである。私も何度かその場所に行ったことがある。今の喜多方市の観光のシンボルとなっている沼の平を訪ねるおりには、必ずその前を通る。沼の平方面に向かって相川橋を過ぎたその場所には、昭和六十一年に記念の銅像が建立された。

蓮沼は、相川橋の下流の一ノ戸川に面した、同市山都町相川に高橋家の長男として生まれた。

高橋家は長子相続で、女の子の場合であっても、長女に婿を取る習慣があった。そこで賢谷の田中家から岩四郎を養子に迎えた。そして、母モトと結ばれたのである。高橋家は副業として熊胆《くまのい》を製造していた。農業ばかりでなく、それをメインの商いにしていた。それで岩四郎も関西方面に商いに出かけたが、忽然として消息を絶ってしまった。母モトが蓮沼家に再婚して嫁ぎ、それから蓮沼姓を名乗ったのである。

母親モトを支えた人々

夫が行方不明になってしまったことで、母モトの苦労は並大抵のものではなかった。一時は同市上三宮町五分一の叔父の家に世話になったこともあった。

その叔父は贅沢な暮らしをしていたわけではなかったが、心から歓迎をしてくれた。モトは嫌がらせを受けるどころか、かえって嫌な顔一つしない叔父に申訳がないという思いがして、新しい働き口を他に探したのだった。お互いに助け合おうとする精神が、上三宮町の人たちには息づいており、支え合って生きていく土地柄なのである。

しかし、乳飲み子と二人では迷惑をかけるというので、蓮沼家の奉公人として働くことになった。豊かではないその家の前に立って、モトは一瞬戸惑ったが、意を決しその家の人になったのである。

蓮沼が育った同市岩月町大沢集落に、つい先日行ってきた。本や資料だけ読んでいただけでは、話にならないからで、第一印象としては、予想以上に広々としていたのには驚いた。

モトが乳飲み子の門三先生を背負って引き返すかどうか迷った、田付川にかかる太用寺橋も渡ってみた。予想以上に小さな橋であった。モトは最終的にはそこの長男の嫁になるが、大竹新助の『愛と汗の人　蓮沼門三物語』では印象深いシーンに描かれていたので、勝手に大きな橋を想像してしまった。

会津盆地の北に当たり、米沢街道に面している。飯豊連峰から流れてくる田付川の畔《ほとり》の集落で、小高い丘陵地帯をバックにしている。「風景がひとをつくる」ともいわれており、蓮沼も瞼に焼き付いた故郷を忘れることができなかったはずだ。地区の地図にはモトさんが肺炎になって死にかかったときに、蓮沼が一心に祈りを捧げた白山神社の場所も表示されていた。

どこにでもあるような話に思えるかもしれないが、裕福でない人々が助け合って汗を流すというのは、そうそうできるものではない。

私がそこでもう一つ問題にしたいのは、蓮沼家の人々の意識の高さである。蓮沼が欲しがる本を彦吉じいさんが買ってくれたというのは、なかなかできることではない。教育者の道を歩むのをバックアップしたのも、かなりの見識がなければできないことだ。

挫折経て修養団結成

蓮沼家のような人々を育んだ背景には「心学」としての会津藤樹学があったというのが私の見方である。モトは宗教家でなければ二の足を踏むような決断をした。そして、彦吉じいさんの息子と夫婦になったのである。門三先生が三歳のときであった。貧しい者たちが手を取り合って生きるというのは、藤樹学が会津に根を張っていたからではないだろうか。

蓮沼が准教員の検定試験に合格したのは、明治三十年の秋で、弱冠十五歳にして教壇に立った。岩月尋常小学校入田付分教場の代用教員としてであった。次いで門三先生は会津坂下町若宮の若宮尋常小学校に転任になった。

蓮沼は母親への絶対的な思いがあり、土、日には必ず帰るとともに、モトが流行性感冒にかかったときには、村の氏神様の白山神社で一心に祈りを捧げた。さらには、自分の体温で母親を七日間も暖めて、それで母は一命をとりとめたのである。

若宮尋常市学校に赴任するようになってから、蓮沼は正教員の訓導を目指すようになる。明治三十四年には福島師範学校を受験するが、筆記試験はよくできたものの、口頭試問で裸になるというパフォーマンスを行って、試験官の怒りを買って不合格になった。

不合格は二度にわたり、それで蓮沼も失意のどん底に落とされたが、逆に福島師範ではなく、東京府師範学校に明治三十六年に入学したことで大望を抱くようになり、三年生の時に「修養団設立の趣旨」、「人格修養の急務」という二つの論文を書き上げ、明治三十九年二月十一日の紀元節に合わせて修養団を結成することを呼びかけた。

教師は神聖な職業としての自覚が求められているばかりか、社会改革の先導者になるという意識を持つべきであることを、熱っぽく訴えたのだ。そして、東京府師範学校が青山師範学校に名前が変わった食堂において、師範学校生四百人が参加し、門三先生は修養団設立の趣旨を読み上げたのである。

大正三年までに修養団は全国に四つの支部を持つとともに、東京では東京高等工業、慶応義塾大学、早稲田大学などが拠点となって活動した。

大正四年八月には、全国の師範学校、農林学校から推薦された生徒約八十名が参加して、檜原湖湖畔の細野で第一回の天幕講習会を開催した。当時の裏磐梯は、明治二十一年の磐梯山の噴火で檜原湖が出現するなど、まさしく荒れた地であった。湖畔には十六もの天幕がはられ、一天幕を一つの家とした。大竹作摩という県知事と代議士をした人が北塩原村から出ているが、彼もそこに参加した一人で、地元の青年団の一人として、その天幕講習会に協力した。

磐梯山の爆発からわずか二十数年後であり、人跡未踏地での開催であったために、大竹は「やればできるという体験が、その後の私の人生にどれだけ大きな励みとなったかわからない。これというのも、口先や頭で教わったのではなく、奉仕という実践によって学んだのである。私にとって蓮沼先生こそかけがえのない師であった」と語っている。

藤樹学は生活現場重視

「心学」としての会津藤樹学を理解する上で欠かせないのが吉田公平、小山國三著の『中江藤樹の神学と会津・喜多方』である。そのなかで吉田は、中江藤樹の著作で江戸時代に印刷されたのは『翁草』と『鑑草』のみであることを指摘し、「会津・喜多方の門人群像が中江藤樹の心学を講学したその成果は、すべて写本で伝習された。門人たちの熱意が、藤樹一門の心学遺産をほぼ網羅する成果を実現したのである」とも書いている。

若松の大河原養伯と荒井真庵が寛文年間（一六六一〜一六七二）に中江藤樹の心学の継承者であった淵岡山《ふちこうざん》に京都で教えを受け、北方地方を中心にして会津全域に広めたのが会津藤樹学だが、吉田公平が力説しているように「孝を重視したというのは、単に徳目として重視したのではない。心学は知識として『理解する』ことではなくして、一人の人間として心学の原理を生活の現場で『生きる』ことを眼目とする」と述べている。

中江藤樹の高弟には、淵岡山以外にも熊沢蕃山もいたが、熊沢の場合には政治的な効果の点から、心学の徹底化ということには距離を置いたともいわれている。

会津藤樹学がもっとも盛んであったのは、大河原と荒井が会津に帰郷後十七、十八年を経た天和三（一六八三）年で、同年四月には淵岡山が数名の門弟と共に会津を訪れている。大河原と荒井は、五十嵐養庵（小田付）、遠藤謙安（岩崎村・現岩月）、東条方秀（上高額）を京都に上らせ、直接淵岡山に教えを受けさせたのだ。この三人は「北方前の三子」と呼ばれている。

淵岡山の会津入りは大変に歓迎され、淵岡山は会津藩家老の友松氏興とも親しく歓談した。江戸時代の一時期、会津藤樹学は衰退することになるが、復興のために尽力したのが「北方後の三子」と呼ばれた、矢部湖岸、中野義都、井上安貞であった。矢部は五十嵐養庵の末っ子。中野は会津教学の中興の祖といわれた会津藩士で、土津神社の保科正之公の碑文を解読したことでも知られている。井上は小田付村村長の井上作左衛門の弟。「北方後の三子」の時代には、東条方秀の孫が淵岡山の三代目を継いでおり、寛政六（一七九四）年には会津に滞在している。

このように北方地方では心学というか、会津藤樹学の影響が大きかった。とくに遠藤謙庵は蓮沼が育った場所の目と鼻の先が生誕の地で、お墓は太用寺にある。蓮沼も偉い先生の話を色々と聞いていたと思う。

儒教と儒学大きな違い

吉田が「孝」にこだわったことは注目に値する。日本では葬式は仏教で行うものとほぼ決まっている。中国ではそれは儒教にのっとって行われた。だからこそ、日本と違って中国では仏教が広く根付くことがなかったのである。
しかし、北方地方を中心とした会津藤樹学は、儒学としての単なる教えではなく、儒教という宗教的な意味合いがあった。「孝経」というのは「論語」よりも三百年後に成立したといわれているが、加地伸行は『日本思想体系　中江藤樹』に収められた「『孝経』啓蒙の諸問題」において「『孝経』に辿りつくそれまでに、孝の歴史というものがすでにあったのである」と解説している。『孝経啓蒙』というのは、中江藤樹が『孝経』を註解した書だが、古典に託して述べるという祖述という形を取っており、その核心部分が北方地方に一定の影響力を及ぼしたのではないかと思われる。

「古代人の孝の観念は、現代人のそれとは、全く異なる。宗教的雰囲気が極めて乏しく、個人主義が」行動の原理であるわれわれ現代人は、孝といえば、それを極端に限定された形の、親に対する日常的愛情というような観念として受け止めるのがふつうであろう。しかし、古代人の孝は、死の観念と結びついているのである」

「社会単位の広がりとともに、以上のような宗教的性格の孝観念、すなわち死に関わる観念と、生きてあるものの世界の知恵とを結びつけようとする努力が始まる。『礼記《らいき》』（周末から秦、漢にかけての諸儒の、古礼に関する諸説を整理編集したもの。通常、漢の戴徳（大戴）がまとめたもの）の中にそのことがよく見られる。しかし、その結びつけには、当然のことながら、原理を必要とする。いわば、生死を通じての礼の問題に関わってくる。礼という知恵の組織的説明者、体系的理解者、いわば一定原理に基づく思想的指導者がシャーマンの中で求められてくる。そうした上層シャーマンとして傑出していた代表的人物こそ孔子であった」

中江藤樹の心学の根本にあったのは、儒学ではなく、儒教の信仰であった。政治的な分野で活躍しようとした熊沢蕃山をそれに違和感があったといわれるが、淵岡山はそのことを重視して、北方地方を中心にして、中江藤樹の心学を全国に伝えたのである。仏教によらず、儒教によって埋葬するのは中国では一般的であった。だが、檀家制度が確立した日本では異端と見られた。だからこそ、会津松平の二代藩主保科正経公の時代には、会津藤樹学が弾圧されたこともあったのである。

「孝」というのが信仰から出たものであれば、理屈は後からついてくる。蓮沼が母親を神格化して、熱病にかかったときには、自ら裸になって熱を下げたというのは、まさしく信仰者の姿ではなかったろうか。そういった観点から会津藤樹学も検討すれば、また違った見方が可能なのである。

「身体髪膚《しんたいはっぷ》、これを父母に受く。あえて損傷せざるは孝の始めなり」『孝経』、「親の生けるときはこれに事《つか》うるに礼を以てし、死すればこれを葬るに礼を以てし、これを祭るに礼を以てす」『論語』とそれぞれ書かれている。

蓮沼は汗をかく行動の人であった。あらゆる宗教を否定しない寛容さを持ち合わせていたが、その根本には心学としての会津藤樹学があったのである。それは会津藩の教学にも影響を与えることにもなった。学問としての朱子学よりも、信仰としての藤樹学の方が人々に影響を与えたからである。後の北方三子の一人であった中野義都が会津藩教学の中興の祖となり、保科正之公の碑文、山崎闇斎が手がけた文章を解読したのは、会津藩教学と会津藤樹学は対立した思想ではなかったからである。

先祖を大事にする、親を大事にするという信仰が、死者との結びつきの回復を願ったものであったという精神風土から、蓮沼門三が誕生したということの意味は大きいものがある。当然の如く縄文以来の信仰心があったはずだが、会津藤樹学の影響も無視することはできないのである。

主な参考文献

【変革への視座】

第一章　『二十世紀の遺産』（「二十世紀と共に生きて」）永井陽之助著編（一九八五　文藝春秋）
『政治的なものの概念』カール・シュミット（田中浩・原田武雄訳　一九七〇　未来社）
『現代と戦略』永井陽之助（二〇一六　中公文庫）

第二章　『ナショナリズム　その神話と論理』橋川文三（一九六八　紀伊國屋書店）
『社会契約論』ルソー（井上幸治訳　一九六六　中央公論『世界の名著』）
『三島由紀夫論集成』橋川文三（一九九八　深夜叢書社）

第三章　『復興亜細亜の諸問題』大川周明（一九二二　大鐙閣）
『増補版　日本二千六百年史』大川周明（二〇一二　毎日ワンズ）
『米英東亜侵略史』大川周明（一九四一　第一書房）
『自立の思想的拠点』吉本隆明（一九六六　徳間書店）

第四章　『昭和史を生きて―神国の民の心』葦津珍彦（二〇〇七　葦津事務所）
『土民のことば――信頼と忠誠との情理』葦津珍彦（二〇〇五　葦津事務所）
『近代民主主義の終末――日本思想の復活』葦津珍彦（二〇〇五　葦津事務所）
『人と心と言葉』江藤淳（一九九五　文藝春秋）
『落葉の掃き寄せ――敗戦・占領・検閲と文学』江藤　淳（一九八一　文藝春秋）
『崩壊からの創造』江藤淳（一九六九　勁草書房）
『20世紀の日本11　知識人――大正・昭和精神史断章』坂本多加雄（一九九六　読売新聞社）
『近代日本精神史論』坂本多加雄（一九九六　講談社学術文庫）

第五章

『日本浪漫派の時代』保田與重郎（一九六九　至文堂）
『比較転向論序説　ロマン主義の精神形態』磯田光一（一九六八　勁草書房）
『日本の文學史』保田與重郎（二〇〇一　保田與重郎文庫20）
『戴冠詩人の御一人者』保田與重郎（二〇〇〇　保田與重郎文庫3）
『南山踏雲録』保田與重郎（二〇〇〇　保田與重郎文庫13）
保田與重郎文庫17）
『絶対的平和論　明治維新とアジアの革命』保田與重郎（二〇〇二　保田與重郎文庫28）
『政治的ロマン主義』カール・シュミット（橋川文三訳　一九八二　未来社）一
『超現実と抒情——昭和十年代の詩精神』大岡信（一九六五　晶文社）

第六章

『土着と情況』桶谷秀昭（一九六七　南北社現代評論選書）
『国民主権と天皇制』尾高朝雄（二〇一九　講談社学術文庫）
『法の究極に在るもの〔新版〕』尾高朝雄（一九六五　有斐閣）
『先祖の話』柳田国男（二〇一三　角川ソフィア文庫）
『日本文化の問題』西田幾太郎（一九四〇　岩波新書）

第七章

『ヘーゲルを読む』長谷川宏（一九九五　河出書房）
『戦後日本思想大系5国家の思想』吉本隆明編（一九六九　筑摩書房）
『現代日本の思想——その五つの渦』久野収・鶴見俊輔（一九五六　岩波新書）
『限界芸術論』鶴見俊輔（一九六七　勁草書房）

第八章

『北一輝　日本の国家社会主義』滝村隆一（一九七三　勁草書房）
『北一輝著作集第一巻　国体論及び純正社会主義』北輝次郎（一九五九　みすず書房）
『北一輝著作集第二巻　支那革命外史　国家改造案原理大綱　日本改造法案大綱』北輝次郎（一九

五九　みすず書房）

第九章

『構成的権力―近代のオルタナティブ』アントニオ・ネグリ（杉村昌昭・斉藤悦則訳　一九九九　松籟社）

『国民文学論』竹内好（一九五四　東京大学出版会）

『日本とアジア』竹内好（一九九三　ちくま学芸文庫）

『原点が存在する』谷川雁（一九五八　弘文堂）

第十章

『評伝　小室直樹（上）学問と酒と猫を愛した過激な天才』村上篤直（二〇一八　ミネルヴァ書房）

『ソビエト帝国の崩壊　瀕死のクマが世界であがく』小室直樹（一九八〇　カッパ・ビジネス）

第十一章

『国家と革命』レーニン（宇高基輔訳　一九五七　岩波文庫）

『家族・私有財産・国家の起源』エングルス（ドイツ版　宇高基輔訳）

『反デューリング論（上・下）』エングルス（ドイツ版　宇高基輔訳）

『ネグリ生政治的（ビオポリティーク）自伝――帰還』アントニオ・ネグリ（杉村昌昭訳　二〇〇三　作品社）

『マルクスを再読する――〈帝国〉とどう闘うか』（的場昭弘　二〇〇四　五月書房）

【土俗からの出立】

第一章

『野口英世の母』宮瀬睦夫（一九四九　淡山書房）

『野口英世の母 シカ』田中章義（二〇一四　白水社）

『素顔の野口英世』小桧山六郎（二〇〇五　歴史春秋出版）

第二章

『山口弥一郎選集第四巻「会津の農村生活―帰郷採録」』山口弥一郎（一九七五　世界文庫）

『東北民俗誌 会津編』山口弥一郎（一九五五　岩崎書店）
『体験と民俗学』山口弥一郎（一九八四　文化書房博文社）
『民俗学の話』山口弥一郎（一九七一　文化書房博文社）

第三章

『徳一とその周辺（下）』生江芳徳（二〇〇七　自主出版）
『徳一草稿　東国化主・会津仏教の源流』笠井尚（二〇〇五　會津人社）
『大日本地誌体系㉘新編会津風土記第四巻』花見朔巳編集校訂者（一九七七　雄山閣）
『日本の歴史をよみなおす』網野義彦（二〇〇五　ちくま学芸文庫）
『無縁・公界・楽増補』網野義彦（一九九六　平凡社ライブラリー）
『中世に於ける社寺と社会との関係』平泉澄（一九二六　至文堂）

第四章

「死霊」埴谷雄高『日本文学全集84 埴谷雄高・堀田善衛』（一九六八　集英社）
『思索的渇望の世界』埴谷雄高（一九七六　中央公論社）

第五章

『日本思想体系32山鹿素行』田原嗣郎、守本順一郎（村岡典嗣校訂　一九四〇　岩波文庫）
『複眼の視座　日本近世史の虚と実』「幻視者の終焉――山鹿素行」松田修（二〇一〇　角川学芸出版）
『物語日本史』（下）平泉澄（一九七九　講談社学術文庫）
『山崎闇斎　天人唯一の妙、神明不思議の道』澤井啓一（二〇一四　ミネルヴァ日本評伝選）
『山崎闇斎の世界』田尻祐一郎（二〇〇六　ぺりかん社）
『垂加翁神説　垂加神道初重傳』村岡典嗣校訂（一九三八　岩波文庫）

第六章

『復刻大木淳夫詩全集1』（一九九九　金園社）

第七章

『決定版正伝・後藤新平』鶴見祐輔（二〇〇四　藤原書店）
『後藤新平――外交とヴィジョン』北岡伸一（一九八八　中央公論社）

第八章

『健康の社会史』新村拓（二〇〇六　法政大学出版局）

『渋沢栄一――社会企業家の先駆者』島田昌和（二〇一一　岩波書店）

第九章

『渋沢栄一――近代日本社会の創造者』井上潤（二〇一二　山川出版社）

『日本の禍機』朝河貫一（由来君美校訂・解説　一九八七　講談社学術文庫）

『朝河貫一とその時代』矢吹晋（二〇〇七　花伝社）

『日本の発見――朝河貫一と歴史学』矢吹晋（二〇〇八　花伝社）

第十章

『おどるでく』室井光広（一九九四　講談社）

『霊の力　J・L・ボルヘスをめぐる断章』室井光広（一九九六　講談社）

『エクリチュール零ゼロ度』森本和夫、林好雄訳注（一九九九　筑摩書房）

第十一章

『蓮沼門三物語　愛と汗の人』大竹新助（一九八一　財団法人修養団）

『人生成功のバイブル　人間愛の巨人・蓮沼門三の哲学』山口彰（二〇〇五　PHP研究所）

『中江藤樹の心学と会津・喜多方』吉田公平、小山國三（二〇一八　研文出版）

「『孝経啓蒙』の諸問題」加地伸行『日本思想体系29　中江藤樹』（一九七四　岩波書店）

初出一覧

【変革への視座】

第一章　永井陽之助の予言――ラディカルなリアリズム　季刊日本主義　二〇一五年春
第二章　ナショナリズムは幻想なのか――橋川文三の言説とアポリア　季刊日本主義　二〇一八年秋
第三章　大川周明は革命家なり――大アジア主義の今日的意義　季刊日本主義　二〇一八年夏
第四章　日本のナショナリズムと沈黙する民――吉本隆明、江藤淳、葦津珍彦　季刊日本主義　二〇一四年冬
第五章　保田與重郎の「述志の文学」――草莽浪人の義挙と明治維新　季刊日本主義　二〇一七年夏
第六章　尾高朝雄の「ノモスの主権」――日本の国体は理念的天皇制　季刊日本主義　二〇一六年夏
第七章　知の探究者鶴見俊輔――戦後のリベラリズムの旗手　季刊日本主義　二〇一五年秋
第八章　北一輝とは何者であったのか　季刊日本主義　二〇一六年春
第九章　いま、竹内好を読む――〈民衆〉と王道に根差す東アジア共同体へ　季刊日本主義　二〇一八年冬
第十章　会津が生んだ天才――小室直樹の人と思想　グラフ東北　二〇一九年春・夏合併号
第十一章　保守がレーニンの『国家と革命』を読む――多様性のラディカリズム　グラフ東北　二〇二一年秋

【土俗からの出立】

第一章　峠を越えなかった野口英世の母　季刊日本主義　二〇一八年春
第二章　東北学の泰斗山口彌一郎――柳田國男の高弟の一人　季刊日本主義　二〇一四年春

第三章　柳津虚空蔵尊謎の歴史——自由コミューンのアジール　季刊日本主義　二〇一七年秋
第四章　埴谷文学と祖父の墓——南相馬小高を訪ねて　グラフ東北　二〇二〇年秋号
第五章　保科正之公の朱子学と山鹿素行の古学　会北史談
第六章　「戦友別盃の歌」の大木惇夫が浪江に疎開　グラフ東北　二〇二一年夏号
第七章　傑物後藤新平の須賀川時代　グラフ東北　二〇二一年夏号
第八章　渋沢栄一が明治築いた骨格を　グラフ東北　二〇二一年夏号
第九章　日米の架け橋たらんとした朝河貫一　グラフ東北　二〇二〇年新春号
第十章　室井光広さんの死を悼む——土俗の力を文学で表現　グラフ東北　二〇二〇年正月号
第十一章　蓮沼門三と藤樹学——根本にあるのは「孝経」　グラフ東北　二〇二二年冬号

あとがき

私の本というのは、大部分が取材にもとづく伝記類で、さもなければ、郷土の白虎隊や慧日寺を題材にしたものである。にもかかわらず、今回は「季刊日本主義」「グラフ東北」「伝統と革新」に掲載された文章を収録することができた。

世の中は大きく移り変わってきている。そのなかで、どのように身を処したらよいのか、多くの人が悩んでいるに違いない。既成の価値観が音を立てて崩れ去っているさまは、あまりにも衝撃的で、語るべき言葉を失ってしまうほどだ。

しかしながら、日本人のコモンセンスが消滅したわけではない。必ずや見直されると私は信じている。それが何であるかを私なりにまとめたのがこの本である。

論創社からは二冊目の本となる。アカデミズムとはまったく無縁な私のような者のために、このような機会を与えてもらえたことに、心から感謝したいと思う。

笠井尚（かさい・たかし）

1952（昭和 27）年、会津若松市生まれ。県立会津高校卒、法政大学文学部哲学科卒。広告会社経営。主な著書に『山川健次郎と乃木希典──「信」を第一とした会津と長州の武士道』（長崎出版）、『最後の会津人伊東正義──政治は人なり』、『勝常寺と徳一──みちのくに大き仏あり』、『会津に魅せられた作家たち』（以上、歴史春秋出版）、『我天に恥じず──保守政治家八田貞義伝』（会津日報社）、『渡部恒三伝──次世代へと託す、魂の遺言』（論創社）、『徳一草稿──東国化主・会津仏教の源流』（会津人社）、『白虎隊探究──世紀を超える精神風土　会津教学と藤樹学への招待』、『会津人探究──戊辰戦争　生き延びし者たちにも大義あり』、『仏都会津を今の世に──磐梯町の挑戦　徳一ゆかりの慧日寺と仏像の復元』（以上、ラピュータ）、共著に『戊辰明治 150 年　会津と長州人かく語りき』（ラピュータ）、『増補改訂　新島八重と夫、襄──会津・京都・同志社』（思文閣出版）などがある。喜多方市在住。

土俗と変革──多様性のラディカリズムとナショナリズム

2022 年 9 月 20 日　初版第 1 刷印刷
2022 年 9 月 30 日　初版第 1 刷発行

著　者　笠井　尚
発行者　森下紀夫
発行所　論 創 社

東京都千代田区神田神保町 2-23　北井ビル
tel. 03（3264）5254　fax. 03（3264）5232　web. https://www.ronso.co.jp/
振替口座　00160-1-155266

装幀／奥定泰之
印刷・製本／中央精版印刷　組版／加藤靖司

ISBN978-4-8460-2178-8　

笠井尚著　本体1600円

渡部恒三伝
——次代へと託す、魂の遺言

2020年8月に急逝した渡部恒三氏を偲び、追悼出版。「政界の水戸黄門」の愛称で多くの人に親しまれた、会津っぽ政治家の生い立ちから晩年までを克明に取材。二大政党制の実現に尽力した〝信念の人〟の魅力を余すところなく描きつくす決定版評伝。